埋《うず》みの棘《とげ》

鎌倉河岸捕物控

佐伯泰英

時代小説文庫

角川春樹事務所

目次

埋《うず》みの棘《とげ》

鎌倉河岸捕物控

第一話　迷宮入りの事件

一

寛政十二年（一八〇〇）の初夏のある夕暮れ、政次《せいじ》と亮吉《りょうきち》は連れ立って鎌倉河岸《かまくらがし》の豊島屋《としまや》を訪ねた。すでに豊島屋の広土間の店内は酒で暑さを忘れようという客で込み合っていた。

「若親分、いらっしゃい」

と小僧の庄太《しょうた》が迎え、

「おや、若親分の蔭《かげ》に幽霊みたいにへばりついているのがいるよ、亮吉さんか」

「ちぼの庄太にまでこう虚仮《こけ》にされたんじゃあ、むじな長屋の亮吉様も立つ瀬がねえぜ」

と応酬したが庄太はすでに店の中に入り、

「金座裏《きんざうら》の若親分とどぶ鼠《ねずみ》のご入来！」

と叫んでいた。

しほが、

「いらっしゃいな、お二人さん」

と出迎えた。

「御用の帰りなの」

としほが訊《き》いたのは政次が夏羽織を着ていたからだ。

「御用といえば御用かな、北町に呼ばれていってきたんだ」

と金座裏の宗五郎《そうごろう》の跡目を継いで十代目になることが決まっている政次若親分がどこか憂いを掃いた顔で答えた。

「ご苦労様」

とだけしほが答え、二人をいつもの定席《じょうせき》へと案内した。もうそこには二人の幼馴染《おさななじみ》、船頭の彦四郎《ひこしろう》がいた。

「彦、早いな。この暑さだぜ。船を使おうという客がひっきりなしだろうによ。その若さでさぼり癖をつけちゃあならねえな」

と政次若親分の供の亮吉がいう。

「さぼり癖ですって、それはどぶ鼠のおまえさんに似合いの言葉ですよ」

と豊島屋の大旦那《おおだんな》の清蔵《せいぞう》が応じた。

「山なれば富士、白酒なれば豊島屋」

と江戸で知られた老舗《しにせ》の酒問屋の主《あるじ》の清蔵はもはや倅《せがれ》に老舗の采配《さいはい》を譲って半ば楽隠居の身分だ。だが、なにしろ客との話が好きで、店の一角にいつもでーんと御輿《みこし》を据え、なにやかにやと客たちから江戸で起こった話題を仕入れていた。とくに捕り物話には目がない清蔵で、

「彦四郎のことはどうでもいい、御用とはなんですねえ」

と早速金座裏の手先に尋ねた。

「旦那、おれはなにもしらないぜ。だって、奉行所の玄関先で待っていただけだからな」

「亮吉は玄関先で主の帰りを待っていなさったか。どぶ鼠には似合いの役目ですよ」

とにべもない返事をした清蔵が政次を見て、話を催促する表情を見せた。

政次が苦笑いを浮かべ、困惑の様子を見せた。

「いえね、御用のことです。秘密なれば若親分、そう言ってもらえば私も無理には申しません。そのくらいの分別、この清蔵も持っておりますよ」

と残念そうな顔をした。

政次が頷《うなず》き、しほが、

「大旦那、客を立たせたままそう立て続けに問い質《ただ》されてもお二人さんも答えようがございませんよ」

と二人に座るように促した。

「おおっ、これは気が利かぬことでしたな」

「ほんとだぜ。客を立たせておいてよ、ああだこうだと問い質すお店の主も珍しいぜ」

と亮吉がぼやき、

「おや、亮吉さん、そなた、客と申されましたな。客となれば飲み代の一端でも払うのが道理ですよ。だいぶ支払いが滞ってますが、それでも客と申されますか」

と清蔵がえらく丁寧な口調で亮吉をいたぶった。

そんな様子を馴染みの客たちがにたにた笑いながら聞いていた。これも豊島屋の名物、豊島屋の上酒のつまみの一つだ。むろん店のほんとの名物は大ぶりの田楽《でんがく》である。

「清蔵旦那、おれのつけを有り難く思いな。そのうち、出世をして何十倍にもして払うときがくらあ」

「来るかねえ。お天道様が西から上がるよりありますまい。まずどぶ鼠の出世はないよ」

と一蹴《いっしゅう》され、
ちえっ
と亮吉が舌打ちし、

「そのうちな、鎌倉河岸に難波《なにわ》の鴻池《こうのいけ》の定紋《じょうもん》入りのお駕籠《かご》で乗り付けるぜ」

と威張った。

「いよいよ夢の話だ」

二人の会話はきりがない。

庄太が二人に器と箸《はし》を用意して、しほが改めて、

「ご苦労様でした」

と労《ねぎら》い、酒を政次と亮吉に注《つ》いだ。

しほは金座裏の十代目の政次の嫁になることが決まり、美しさに一段と磨きがかかり、近頃では、

「あの若さに似ず貫禄《かんろく》が備わってきたぜ」

と客の間で評判になっていた。

「まずこれだよな」

と亮吉がまだ炎暑が残る町を歩いて渇いた喉《のど》を潤すように一気に飲み干した。

政次のほうは少しばかり嘗《な》めて酒器を卓に置き、

「彦四郎、仕事は暇なのか」

「政次、それよ、ついてねえぜ。亮吉が言うとおり日が落ちても暑さが残っていらあ。吉原通いの客やら夕涼みの客でひっきりなしだ。それがさ、このところ立て続けに船に水漏れがしてよ、おれの猪牙《ちょき》までおかしくなりやがった。近所の餓鬼かねえ、刃物の先で舟の底に穴をあけやがった。そうだ、亮吉、おめえじゃねえか、そんな悪戯《いたずら》をする奴はさ」

「馬鹿野郎、この亮吉様は瘦《や》せても枯れても金座裏の手先だ。そんなちんけな真似《まね》をするものか」

「そうか、おめえじゃねえか」

と彦四郎はどことなく釈然としない顔だ。

「ほんとに商売物に悪戯するなんて許せませんよ」

と清蔵まで亮吉を睨《にら》み、慌てて亮吉が顔の前で手を横に振って、

「おれじゃないってば」

と弁解した。政次が、

「彦四郎、その一件、おれたちも気を付けていよう」

と猪牙の悪戯を真剣に受け取り、御用の一つにすることを約定《やくじょう》した。

「舟の修繕代もさることながら、一艘《そう》の舟を休ませると一日の稼ぎが吹き飛ぶからな、そっちが大きいや。頼むぜ、金座裏の若親分よ」

政次が頷き、言い出した。

「今日、奉行所に呼ばれた話もなんだか要領のえない話なんだ。待っておられたのは内与力《うちよりき》の嘉門與八郎《かもんよはちろう》様でねえ、あまり私には馴染みのないお方だ」

内与力は旗本から抜擢《ばってき》される町奉行の家臣が就く職掌だ。奉行が職を辞すれば内与力も職を解かれ、元の旗本家の家臣へと戻る。

つまり内与力の嘉門は北町奉行小田切土佐守直年《おだぎりとさのかみなおとし》の家臣でもあった。

町奉行所には二、三人の内与力がいて、内向きの仕事、政治が絡む事件など奉行のご用人《ようにん》といった役目を果たしていた。

「内与力が面会たあ、一体全体どういうことだ、若親分」

供をした亮吉も知らない話らしく聞いた。

「嘉門様はな、水戸様の家老澤潟《さわがた》様と申されるお方を承知かという問いでねえ、あれこれと尋ねられたのさ。私には澤潟様の名には覚えがない」

「水戸様に金座裏の若親分の令名が伝わったか。悪い話ではないぜ、これはよ」

と亮吉が合点をした。

「政次、澤潟様がおめえにどんな用事だ」

と彦四郎が聞いた。

「いえね、水戸家の目付《めつけ》が私のことを北町奉行所で根掘り葉掘りと問い質していったそうだ。それで嘉門様は私を呼んで、なんぞ覚えはないかと訊かれたのだ」

彦四郎の顔色が変わったのをしほは見た。

「政次、澤潟様の名はなんだ」

「それは分からぬ、申されなかった」

「…………」

しばらく沈黙していた彦四郎が、

「政次、あの一件かねえ」

と政次に聞いた。

「十一、二年前の話だが、あれしか考えられぬ」

政次が答えた。

この話に加わっているのは清蔵、しほと幼馴染三人の、五人だけだ。いわば身内、家族同然の仲だ。

「政次さん、十一、二年も前の話って悪いことなの」

しほが不安そうな顔をした。

「十一、二年前といえば寛政の初めか。おまえさん方は十になったかならないかの年だね」

と自問するように呟《つぶや》いた清蔵が小首を傾《かし》げて物思いに沈んだ。

政次も彦四郎も遠い昔を追憶するように考え込んだ。亮吉だけが話を他所《よそ》に手酌で酒を飲んでいた。その手を、
ぴしゃり
と彦四郎が叩《たた》いた。

「亮吉、おまえにも関《かか》わりがある話だぜ。ちったあ真剣に考えろ」

「おれと関わりがあるって。そんな昔話、思い出せねえよ」

「待って下さい、あれは確か寛政元年の夏のことだ。おまえさん方、三人が行方を絶った騒ぎがあったねえ。あれは奇妙にも尻切れトンボの結末でした」

と清蔵が遠い記憶を頭の隅から引き出した。

「政次さん、そのことか」

政次が重々しく頷いた。その二人の真剣な様子を見ていた亮吉が、

「あっ、あれか。あのことか」

と叫んだ。

「しいっ」

と彦四郎が制し、

「声を低めろ」

と注意した。

いつもは反論する亮吉が首を竦《すく》めて、うんうんと素直に友に頷き返した。

「思い出しましたよ。寛政元年の夏の昼下がり、おまえさん方三人はおっ母さんに内緒で三人連れ立って遊びに出て、日が暮れても帰らなかった。むじな長屋では大騒ぎになって、おまえさん方が水遊びに行ったところまでは突き止めた。そこで御堀から神田堀まで、鎌倉河岸界隈《かいわい》の水辺を探す騒ぎになったねえ。だが、見付からない。そこで捜索の輪を神田川までに広げようとした矢先だ……」

しほは全く知らない話だった。

「五つ（午後八時）を大きく回った時分だったかねえ。この三人がわあわあ泣きながら、むじな長屋に戻ってきた」

「清蔵旦那、泣きじゃくっていたのは亮吉だけだ」

と彦四郎が記憶を訂正した。

「そうか、そうだったかな。もう十何年も前の話だ、おぼろげでも致し方ありませんよ」

と彦四郎に応じた清蔵が、

「おまえさん方のお父っつぁんが激しくどこに行っていたと叱《しか》り、しつこく問い質したそうですな。それに答えたのは政次、おまえさんだそうだ」

と清蔵が政次を見た。

「殴られようと怒鳴られようと神田川に水遊びに行って、つい夢中になり、気がついたら日が暮れていた。帰り道、道を間違え遅くなったと言い張り通しなさったな」

三人が清蔵の記憶に頷いた。

「なんぞ水戸様と関わりのある話ですか」

清蔵が慎重な言葉遣いで問い質した。

政次はそれには答えず、彦四郎と亮吉の気持ちを確かめるように見た。

「清蔵旦那としほちゃんにここまで話したんだ。政次、これから先の話をするしないは、おまえに任せるぜ」

と彦四郎が答え、亮吉も頷いた。

「澤瀉様の話がどういうことか分からない以上、この場で話せぬこともございます、旦那、しほちゃん」

と政次が二人に断った。

「政次さん、厄介な話なら聞かなかったことにしてもいいよ」

と話し好きの清蔵も応じた。

「いや、聞いてもらいます。あの夏の日、私たち三人が見たことをね」

政次が言い、二人が頷く。

「あの日、私たち三人は水戸様の屋敷近くの川に水浴びに行ったんです。神田川に水戸屋敷から神田上水と湧《わ》き水が流れ出るところで、鬱蒼《うっそう》とした森の中に小さな池が静かに広がっていたっけな」

「あの流れはおれが偶々見つけたんだ。今じゃあ、矢来《やらい》が神田川の合流部に作られて、もはや中には入ることはできないや」

と今も神田川を仕事場にする船頭の彦四郎が言った。

「私たちは夢中になって魚が泳ぐ小さな池で水遊びに興じて時が経《た》つのを忘れておりました。木の間から差し込む光が傾き、日が弱まったころ、人の気配が水戸屋敷の方角から近付いてきた」

「おれたちは慌ててよ、褌《ふんどし》一丁で木陰に逃げ込んだんだ」

「いや、亮吉、政次がよ、その前におれたちの脱ぎ捨てた単衣《ひとえ》を風呂敷《ふろしき》に包んで大紅葉《もみじ》の枝に隠したんじゃなかったか」

「そうかも知れねえが、なにしろ十年以上も前のことだ」

彦四郎と亮吉が政次の言葉に言い足し、再び話し手は政次に戻った。

「旅仕度の若侍が二人姿を見せて、私たちが水遊びをしていた岸辺で腰を下ろしたんです。一人は定府《じょうふ》の家臣で、もう一人は水戸から出てきた様子の若侍でした」

「だんだん思い出してきたぜ、若親分。あいつらはだれぞ上役と待ち合わせをしているようで、それから一緒に水戸に戻るようだったな。これから起こることも知らずに暢気《のんき》に昼寝なんぞをしていやがった。そやつらの頭の上におれたちの着物があるんだよ、だから、おれたちはあいつらが立ち去るのをじいっと褌一つで待つしかなかったんだ」

亮吉の言葉に頷いた彦四郎が、

「夕暮れ、二人が目覚めたとき、事が起こったんだ。おれたちは危うく恐ろしさに叫び出すところだったぜ」

と言い、清蔵が、

「彦四郎、なにが起こったんです」

と怖い顔で聞いた。

彦四郎が政次を見た。

「二人は水戸治保《はるもり》様の書状を密《ひそ》かに水戸へ届ける役目を負わされていたんです。水戸の藩政改革に絡んでの秘密の書状のようでした。ですが、十歳の私たちにはよく理解の付かぬことでした」

とだけ政次は答え、先を続けた。

「半澤《はんざわ》と呼んでいた上役は薄闇《うすやみ》に紛れるように姿を見せました……」

「半澤様、お待ちしておりました」

「富田《とみた》、殿の書状、しかと持参しておるな」

「はい、確かに」

と富田新吾《しんご》が答え、ちらりと足元の道中嚢《のう》に目を落とし、三村《みむら》五郎次《ごろうじ》が、

「半澤様は水戸へ同道なされないのでございますか」

と羽織も着けぬ上役に尋ねた。

うーむ

と曖昧《あいまい》に答えた半澤がするすると富田新吾に腰を沈めて近付くと、いきなり刀を抜き打ちにして新吾の肩口を深々と斬《き》り下げた。

げえぇっ

新吾がきりきり舞に倒れた。

五郎次は呆然《ぼうぜん》と突っ立っていたが、なにかに気付いたように、

「半澤様、裏切られましたな！」

と叫び、岸辺に転がる大刀に飛びついた。

その五郎次を追って半澤が血に塗《まみ》れた剣を振るおうとした。

「……そのときのことだ。政次が大きな声で叫んだのさ。汚いぞ、半澤、味方を裏切って殺すつもりか！　ってね」

彦四郎が言い、亮吉も、

「おれたちも必死で若侍を殺させちゃいけねえと思って、叫び続けたんだ。すると半澤が恐ろしい形相でこちらを見てよ、それでも刀を引き、五郎次、そなたの命、水戸

までに必ず取ると言い残し、屋敷の方へ走り戻っていったんだったな。一瞬のことだ」

豊島屋のその場だけに重い沈黙があった。

「それからどうしたの、政次さん」

「五郎次と申される若侍は、まず同輩の新吾の生死を確かめていたが、呆然と死んだ、殺されたと呟かれました。私たちが出ていったのはそのあとのことです」

五郎次は折から樹間から洩《も》れてきた夕日に三人の褌一つの少年の姿を見て直《す》ぐに事情を察したようだ。

「助かった、礼を申す」

とまず言った。

「三村様、水戸へ急行されるのがまず大事ではございませんか。あいつが助けを呼んで戻ってきますよ」

という落ち着いた政次の言葉に、はっとした五郎次、

「そなたら、名はなんと申す」

「鎌倉河岸裏の亮吉とよ、彦四郎と政次だよ」

と亮吉があっさりと答えていた。頷いた三村が、

「そなたらは命の恩人である。改めて礼に伺う。それがしには差し迫った大事な遣いがござる。これにて御免」

と言うと新吾の道中嚢を摑《つか》み、剣を腰に戻すと池の縁から忽然《こつぜん》と姿を消した。

二

「……あれから十一年の歳月が流れた」

政次が呟く。

「忘れていたぜ」

と亮吉が応じる。

「政次、間違いねえ。あんときの話が蘇《よみがえ》ったんだ」

彦四郎もいった。

一座に再び沈黙が流れ、清蔵が、

「若親分、この話は早いうちに宗五郎親分に相談したほうがいい」

「旦那、これから戻り、そうするつもりです。この場で先に話したのは彦四郎と亮吉の許しを得るのが先だと考え、まず二人に聞いて貰《もら》ったのです」

「しほと私はついでだね。私たちが他に洩らすことはないよ」

と清蔵が厳しい顔で約束した。

「政次さん、まだ十一年前の夏の話と決まったわけじゃないわ。それに、もしそうだとしても悪い話ではないかもしれない。だって三人は若いお侍の命を助けたんですもの」

しほが言う。

「確かに、私たちは夢中で叫び、五郎次と申される若い侍を殺そうとした半澤をその場から追い立てた。だが、その後のことはなにも知らないんだ。あの若侍が無事に水戸城下に辿《たど》り着き、お役目を果たしたか。あるいは半澤らの一味が若侍を追跡し、道中で襲い、殺して懐の書状を奪い取ったか」

「政次さん、それはそうだけど」

それ以上反論する言葉はしほにもなかった。

「政次さん、水戸のお内所《ないしょ》が苦しいのは今も変わりない。大きな声ではいえないが白酒をお買いになるのだって、何頭もの馬の背に振り分けて賑々《にぎにぎ》しく買っていかれるのが毎年桃の節句前の習わしですがね、半分以上が空樽《あきだる》です。御三家ゆえに周りに見栄を張っておいでなのです。それほど台所は厳しい」

豊島屋清蔵は水戸家との付き合いからそう談じた。

「私もあのとき以来、水戸の藩政には注視してきました。あの折、若侍が関わった改革が成功したとは思えません。なぜなら、ただ今もまた寛政の改革が水戸藩内で続けられているからです」

「政次、あんときの若侍たちの行動は潰《つぶ》されたというのか」

「分からぬ」

と彦四郎の質問に答えた政次が、

「彦四郎、半澤派が生き残ったと考えて私たちも行動したほうがいい。あの男のことだ。殺しを承知している私たちのことを生かしておくのは不味《まず》いと考えるようになったのかもしれない」

「なぜ急にそんなことを考える」

「亮吉、十一年前の改革話が再燃したとしたらどうだ」

そうか、と答えた亮吉が、

「それにしても、どうして金座裏の若親分があんときの政次だと分かったんだろう」

と呟くように自問した。

「馬鹿、おまえがあの若侍の問いに鎌倉河岸裏の亮吉だ、彦四郎だ、政次だと答えたんだよ。あいつらが調べようと思ったら、それで十分だ」

「そうか」

と頭を掻《か》いた亮吉が、

「彦、そいつはおかしいぜ。おれが答えたのは若侍に対してだぜ。若親分の推量だと、あの若侍は殺されたかもしれねえということじゃねえか。半澤はおれが答えたときはいなかった、知るはずもねえや」

「だから、そこんところがはっきりとしねえのさ。政次はだから、当分用心するに越したことはねえと言っているんだ」

「分かった」

とようやく亮吉が飲み込んだ風に返事をした。

「彦、おれはよ、若親分と一緒のことが多い。おまえは見知らぬ侍を船に客として乗せねえとも限るめえ。おまえが一番用心しなきゃあいけねえぜ」

亮吉の言葉に彦四郎が大きく頷き、

「水の上のことなら、そうそう簡単にやられるわけもねえよ」

と自ら納得させるように言った。

「政次さん、今日は早く金座裏に戻ったほうがいいんじゃない」

「そうするつもりだが、親分は御用で出かけておられてな。まだ半刻《はんとき》（一時間）は戻ってこられないんだ」

「だから、のんびり御輿を据えているの」

「しほちゃんの顔も見ていたいしな」

と答えたのは亮吉だ。

どうやらいつもの三人が戻ってきたと、しほは安心し、

「そうだ、今日の昼間、永塚小夜《ながつかさよ》様が小太郎《こたろう》様をお連れになってうちに見えたのよ」

と三人に報告した。

「小夜様になにかあったかえ」

亮吉が聞く。

乳飲み子の小太郎を連れた女武芸者、陸奥《むつ》仙台城下で円流《えんりゅう》町道場の娘として生まれ育った永塚小夜が、忽然と江戸の剣道場に姿を見せたのはこの春先のことだ。

抜群の小太刀《こだち》の腕前で町道場を震撼《しんかん》させた。だが、赤坂田町の神谷丈右衛門《かみやじょうえもん》道場では政次が立合い、小夜の小太刀の技を一蹴していた。

永塚小夜には江戸で名を売る必要があって、小太郎連れで道場破りを重ねていたのだ。それは先に仙台城下を離れ、江戸に出た八重樫七郎太《やえがししちろうた》との再会を目指しての行動

だったのだ。

だが、江戸の暮らしに耐え切れなかった八重樫は、山の手六阿弥陀《ろくあみだ》参りの最中の四ッ目屋の隠居好七《こうしち》を襲って殺し、金子《きんす》を奪うという非道を犯してしまった。

その直後、永塚小夜と八重樫は再会を果たした。

だが、そのときには政次らが八重樫を隠居殺しの下手人と割り出し、包囲の輪を縮めて、深川黒江町の木賃宿に追い詰めた。

八重樫七郎太と政次は相戦う道を選び、政次の銀のなえしに打たれた八重樫は死んだ。

残された永塚小夜と小太郎は、八重樫の隠居殺しに全く関わりがなかった。

そこで宗五郎らが動いて、神田銀町《しろがねちょう》の青物問屋の青正《あおしょう》の離れ屋に住いを決め、江戸に疎い母子が暮らせるようにお膳立《ぜんだ》てをしたばかりだった。

「小夜様と小太郎様になにかあったというわけではないの。ようやく神田の暮らしに慣れたからとご挨拶《あいさつ》に見えたの」

「なんだそんなことか」

と答えた亮吉が、

「しほちゃん、まだ小夜様は若親分にわだかまりを持っているようかえ」

と聞いた。

小夜と小太郎親子が頼りにして江戸に出てきた相手、八重樫七郎太と戦い、斃《たお》したのは政次だ。

政次にとってそれは御用、致し方のない仕儀だった。

だが、小夜には自慢の小太刀の技を打ち砕かれ、想《おも》い人を殺した相手だった。

非は八重樫にあることを重々承知していた。

また、金座裏の親分たちの世話でしか、親子の暮らしが成り立たないことも承知していた。だが、小夜には政次にたいして複雑な気持ちが残っていることも確かだった。

しほと清蔵がにっこりと笑い合った。

「今日、うちにお見えになったのは、気持ちの変化を遠回しに伝えるためだったのではないかしら」

としほが言い、清蔵も、

「小夜様に若親分の情けがようやく伝わったのさ。なんたって四ッ目屋の隠居を殺して金子を奪った下手人だからね。生きて縄目に合うようなことがあれば、小夜様と小太郎様にも迷惑がかかった。江戸での暮らしにも差し支《つか》えると、そこまで考え抜いた政次若親分の気持ちが分かったとしみじみ洩らされたもの」

と言い添えた。

「よかったぜ」

と亮吉が胸を撫《な》で下ろす。

「私はそんなに深く考えたわけではございません」

と政次が呟く。

「青正でも、永塚小夜様と小太郎様を離れに住まわせて安心しただけではないようだ。当代の正右衛門《しょうえもん》さんや家族も小夜様の人柄にすっかり魅了されたようでな、先日、お店の前で正右衛門さんとばったりと顔を合わせたらさ、親父《おやじ》がまたお節介を焼いたと思っていたら、なんともよいお方を離れに住まわせたものだと喜んでましたよ。なにしろ、この物騒な世の中だ、青正は分限者《ぶげんしゃ》で知られてます、悪い奴が目をつけないともかぎりません。女武芸者の小夜様が屋敷内にいるといないでは大違い、枕を高くして休めると申されてもおりましたよ」

と清蔵が報告する。

「旦那、しほちゃん、小夜様の働き口はどうなったえ、なにか言い残していったか」

青正の義平《ぎへい》は住いばかりか小夜に仕事の口も用意していたのだ。

三島町で小さな町道場を経営していた林幾太郎《はやしいくたろう》が亡くなり、跡目に困っていた。二

十四、五人の町道場だが、幾太郎と内儀、娘の三人がそれで生計を立てていた。あとに残された女二人には武術を教える力はなかった。そこでその道場を小夜が引き継ぎ、残された家族に稽古《けいこ》代の中から半額を支払い、二つの家族が暮らしていこうというのが義平の考えだった。

「小夜様は林道場で剣術伝授を始められたそうよ。今度は若い女先生というので、青物市場の若い衆がどおっと弟子入りしたそうな。急に弟子が倍になったと喜んでおられたわ」

「そいつはいいが、小夜様目当てに弟子入りするような野郎は引くときも早いぜ」

「亮吉さんではないわ。小夜様ならきっと上手にほんもののお弟子に育てなさるわ」

「違いねえ。亮吉は、女師匠と聞いたらそれが長唄《ながうた》、常磐津《ときわづ》、小唄《こうた》、三味線《しゃみせん》だろうと弟子入りしてさ、三日も持たないからな」

「彦、なんでおれの話を振る。小夜様の話だぜ」

「いえね、私も気になって、そのことを青物市場の知り合いに聞きましたらねえ、小夜様は元々仙台の町道場主の娘御、教え方が的確で上手なんだそうです。またあの器量で腕も立つときている、三島町界隈でえらい評判だそうで、女の入門者が多いのだそうです。女の弟子が多いと、それを目当てに男の弟子が入るという具合で日に日に弟子の数が増えているそうですよ」

「それはよかった」

と政次が洩らした。

「小夜様は政次さんに詫《わ》びを言いたい様子だったわ。八重樫七郎太様のことでね」

「終わったことだ」

「政次さんが怒ってないのなら、三島町の林道場に教えにきてくれないだろうかと仰《おっしゃ》ってもいたもの」

「しほちゃん、私に教える力なんてないよ」

「政次さんを頼りにしている風だったけどな」

としほも複雑な表情で伝えた。

「若親分、頼られるうちが花だ。亮吉のように最初から頼りにされないのは困りものですよ」

「なんで、旦那もおれを引き合いに出すんだよ」

と亮吉がぼやき、

「亮吉、頃合だ。戻ろうか」

と政次が立ち上がった。

「おれだけ残ってもしようがないや、帰ろう」

と彦四郎も従った。

五つ（午後八時）の頃合か、鎌倉河岸に人影が絶えていた。

「三村五郎次様は無事に水戸に戻られたかねえ」

彦四郎が話を再燃させた。

「生きておられるか、あんとき、殺されなすったか。直ぐに分かるさ」

と答えたのは亮吉だ。

「彦四郎、亮吉、なにがこれから起こるか知らないが、相手は水戸様だ。生半可のことでは済むまい。いいか、おれたちは十の夏と同じだ、三人一緒に力を合せて事にあたる」

と政次が言った。

「言わずもがなだ、若親分」

「政次、この際だ。聞いておこう」

と彦四郎が言った。

「なんでも聞いてくれ」

「おまえは金座裏の十代目に就くことが決まっている。今度のことがそいつに支障をきたすことがあったらどうする」

「彦、これから親分に相談するんだぜ。親分に聞かれたらもう、おれたちは一蓮托生《いちれんたくしょう》、同じ船に乗ったも同然だ」

「亮吉、おれはそれほど簡単なことではないように思える。政次も言ったぜ、御三家水戸様が相手なんだぜ」

亮吉が小首を傾げて考えていたが、

「若親分」

と話を振った。

「そのことを考えないではなかった。だが、金座裏に迷惑が及ぶようになれば、おのずと身の処し方は決まっていよう」

と政次が言い切った。

「おのずと身の処し方が決まっているとはどういうことだ、若親分」

「亮吉、政次の気持ちを察しろ」

「察しようにも分からないから聞いているんだ」

と亮吉が言ったとき、鎌倉河岸の東、龍閑橋《りゅうかんばし》の手前に差し掛かっていた。龍閑川、あるいは神田堀の異名を持つ川を背に二つの影が立っていた。

政次が、
さあっ
と後ろを返り見た。

背後にも七、八人の影があった。

身なりは明らかに屋敷奉公の武家の恰好《かっこう》だ。

「驚いたぜ」

と亮吉が呟く。

「出たのか」

と彦四郎が二人の友に聞く。

「さてな」

と政次が羽織の背に手を回した。そこには八角の銀のなえしが差し落とされていた。なえしとは鉤《かぎ》のない十手《じって》と思えばよい。武士階級でない者たちが道中の用心などに使用してきた得物《えもの》だ。

政次のそれは長さ一尺七寸（約五二センチメートル）、柄頭《つかがしら》の鉄輪《かなわ》に平織の組紐《くみひも》が結ばれていた。

亮吉は懐から御用の十手を出して構えた。

彦四郎だけが素手だ。

「なんぞ御用にございますか」

政次が前方の二人に聞いた。

「金座裏の政次とはそのほうか」

影の一人が尊大に聞いた。

「へえっ」

「連れは手先の亮吉に船頭の彦四郎だな」

「いかにもさようで」

「死んでもらう」

「将軍様の城近く、ちょいと乱暴に過ぎませぬか」

「問答無用」

と声を発していた武家が政次たちの背後の手下に手を振って合図を送った。

政次は無言の男が一団の中で一番身分が高いと察した。

「半澤様にございますか」

政次の問いに声を発していた武家が短く驚きの声を発し、なにか言いかけた。それを無言の武家が手で制した。

「彦四郎、欄干にへばりついていな」

政次の声が合図になって背後の七、八人が抜刀をして三人に襲い掛かろうとした。

機先を制して政次がその一団の先頭の者へと突進し、背に回していた手を翻した。

闇に銀のなえしが左右に振るわれた。

直心影流《じきしんかげりゅう》神谷丈右衛門の弟子として今や五指に入るとまで言われる政次が仕掛けた先制攻撃だ。一瞬の早業に胸を突かれ、肩を叩かれ、小手を殴られて剣を落とした り、欄干から神田堀に落ちる者もいた。

彦四郎の足元に刀がからからと転がってきた。そいつを拾った彦四郎が片手で振り回し、

「政次ばかりにいい役回りをとられて堪《たま》るか」

と峯《みね》に返した剣を立てた。

亮吉も十手を構え、

「てめえらがどこのだれか推測のつかねえお兄さん方じゃあねえんだ。そっちがその気なら、十一年前の白黒決着つけてやるぜ」

と啖呵《たんか》を切った。

なにしろ彦四郎も政次も六尺ゆたかな偉丈夫だ。その間に入って小柄の亮吉が十手

を構え、三人が反撃の態勢を取った。ちょうどそのとき、龍閑橋に提灯《ちょうちん》を点《とも》した船が差し掛かった。

その明かりが一団の顔に流れた。

腕で光を遮った無言の武家がさっと身を翻してその場を離れた。すると三人の背後の刺客たちも逃走に移った。

最後に一人残った武家が、

「ちとそのほうらを甘く見たようだ、次は必ず仕留める」

と言い残し、無言の武家を追った。

三

金座裏の九代目親分宗五郎の前に、三人の若者が神妙な顔をして控えていた。

その他の手先たちは二階に上がり、その場に呼ばれていない。政次が内密の話と宗五郎に断ったからだ。

おみつが酒の香をさせた三人に黙って茶を淹《い》れてくれた。

龍閑橋で待ち伏せを受けた半刻後のことだ。

他用からすでに戻っていた宗五郎に政次が北町奉行所の内与力に呼ばれた話の内容

から十一年前の出来事、さらには龍閑橋での待ち伏せと手際よく報告したところだ。

宗五郎は煙管《キセル》を手で弄《もてあそ》びながら話を聞いていたが、煙管の雁首《がんくび》で煙草《タバコ》盆を引き寄せ、刻みを火口に詰めた。

「天下の副将軍は二代光圀《みつくに》様で終わりだ。そいつを勘違いなされて江戸にのうのうと居座られて幕閣のあれこれに口出しなされているうちに藩内がこの有様だ」

と吐き捨てた。

「それにしてもおめえらの水遊びに、そんな話が絡んでいたか」

と政次らを見た。

「親分、この二人には責めはございません。私が猿知恵で口止めしたんです」

と政次が彦四郎と亮吉を庇《かば》った。

「十歳の知恵としては上出来だ。その思慮があったからこそ、おまえらは本日ただ今まで命を永らえたともいえる。いい判断だったと誉《ほ》めておこうか」

と当代の宗五郎が後継の決断を認めた。

「親分、やっぱりあんとき、おれたちがくっ喋《ちゃべ》っていたら殺されていたかねえ」

「十歳の子供の口封じをするほど御三家の水戸の判断が狂っているとは思いたくないが、なんらかの災難が降りかかっていたことは確かだろうぜ、亮吉」

「やっぱ、政次、いや、若親分の判断は正しかったんだ」

と亮吉が得心するように言った。

「それにしても親分、十一年後になんで急にあの夏の日の騒ぎが蘇った」

と彦四郎が聞く。

「彦四郎、そいつはこれから調べてみねえとなんとも言えねえ。だが、一番の原因は水戸様の財政だ。おめえらが目撃した殺しの頃より、さらに一段と悪くなっている、そのことと関わりがあろうよ」

「豊島屋の清蔵旦那が、白酒を買いにくるのも見栄を張って、半分は空樽を馬に負わせていると言いなさったが、それほどか」

「なにっ、清蔵さんがそんなことを言いなさったか。たかが女子供が飲む白酒にまともな金子を払えないほど水戸の内所は苦しいか」

彦四郎の報告に宗五郎が呻《うめ》いた。詰めた刻みに火を点《つ》けた宗五郎は一服すると紫煙を吐き出し、

「十一年前、おまえたちが命を助けた三村五郎次様が存命か、さらには富田新吾様を殺した半澤某《なにがし》がどうしておるか、おれが調べる。おまえたちを襲った者たちは、金座裏の名を出したのだな」

「はい。確かに金座裏の政次、手先の亮吉、船頭の彦四郎と名指ししました」

「馬鹿野郎どもが水戸家の家臣とは申せ、金座裏をちょいと甘く見てくれたものだぜ」

と宗五郎が不敵に笑った。

「おまえさん、寛政元年にこの三人がそんな経験をしていたなんてさ、それを今まで黙っていたなんて驚いたよ」

とそれまで黙って聞いていたおみつが言う。

「一枚政次が加わっていたからな。松坂屋《まつざかや》さんには悪いが、政次は呉服屋の番頭にはなれなかった男よ」

と自分たちの判断を自賛するように言い、

「ほんにほんに」

とおみつが同調した。

むじな長屋で育った三人のうち、奉公に出て職を大きく変えたのは政次だけだ。

彦四郎は餓鬼の時分から、

「綱定《つなさだ》の船頭になる」

と心に決め、その道をまっしぐらに突き進んできた。考えどおりに十三の春から先代綱定の親方に願って、晴れて船頭になっていた。全く迷いはない、それが彦四郎の生き方だ。

亮吉は最後まで迷った。母親は、

「青物市場《やっちゃば》に奉公に出な、そうすれば食いはぐれがないよ」

と勧めたが亮吉は、

「野菜なんぞを扱うのは嫌だ」

と断った。

「じゃあ、どこのお店《たな》に奉公に出る気だ」

と迫られた亮吉は政次と彦四郎に相談した。

綱定の船着場でのことだ。

そんな話の最中、神田堀の対岸で婆様の信玄袋を奪い取り、逃げようとした男に偶然にも立ち塞《ふさ》がり、あっさりと手捕りにしたのが、まだ若かった九代目宗五郎だ。それを見た亮吉が、

「おれ、金座裏の手先になる。決めた」

と自らの道を唐突に宣言した。

そんな亮吉の願いを宗五郎は、

「御用聞きの手先は銭にはならない、仕事はきつい。止《や》めておけ」

と取り合ってくれなかった。それを何度も通い詰めてようやく、

「一年ほど様子を見ようか」

と許しを得たのだ。

最後に残ったのが政次だ。

政次は物心ついたときから、大店に奉公してゆくゆくは番頭になり、さらには暖簾《のれん》わけをしてもらって自分の店を持つと心に誓っていた。そして、日本橋界隈の大店を廻《まわ》って調べ回り、商いのしっかりとした呉服店の老舗松坂屋に勤めると、奉公人のほうが店を選んだのだった。

政次は、この決断を親に話さなかった。

むじな長屋の差配と町内の五人組に打ち分け、すべて根回しを終えた後に親父に告げた。

自分の跡継ぎにと考えていた職人の父親の願いを打ち砕いた。その話を聞いた父親の勘次郎《かんじろう》も、

「根回しなんぞは餓鬼のやることっちゃねえ、律儀にこつこつと仕事をする職人になれっこねえ、ちいと知恵がつき過ぎて、一人前の職人にはなれめえ。おれのほうからお

断りだ、松坂屋様がいいというなら、それもいいだろう」

と政次の頑固を承知しているので、あっさりと許しを与えた。

政次は同期に奉公した中で一番先に小僧から手代になった。さらには伊勢松坂屋本店に修業にやられることも早々に内定した。それは松坂屋の幹部候補生の一人に選ばれたということだ。

そんな矢先、宗五郎が松坂屋の隠居松六《しょうろく》に頼んで、政次を金座裏に、自分の後継にすることを条件に譲り受けたのだ。

松坂屋も金座裏も徳川幕府が開闢《かいびゃく》した頃からの古町《こまち》町人、互いに助け助けられした仲だからこそ出来た荒業だった。

政次はこの話を聞かされたとき、すでに内堀も外堀もすべて埋められていることを悟った。それほど願われてのことなら、と熟慮した末に幼馴染の亮吉が手先を務める金座裏に転身したのだった。

宗五郎はそのことを言ったのだ。

「政次、彦四郎、亮吉、この話、宗五郎が預かる。しばらく時を貸せ」

「へえっ」

と三人が畏《かしこ》まったとき、

どんどん
と表の格子戸が叩かれた。

亮吉がぴょんと立ち上がり、表に走った。同時に二階から住み込みの常丸《つねまる》いたちが降りてきた。

格子戸を叩いた男が、金座裏の広い土間先に連れてこられた。

若い手代風の男は、顔が真っ青で引き攣《つ》り、がたがたと歯の根も合わないほど震えていた。

玄関先に顔を出した政次はさっと居間に戻り、

「おかみさん、温《ぬる》めの白湯《さゆ》でようございます、一杯下さいな」

と頼み、おみつが、あいよ、と心得顔で鉄瓶から茶碗《ちゃわん》に湯を注ぎ、

「これなら喉も火傷《やけど》はしないよ」

と渡した。

「有難うございます」

と政次は直ぐに玄関先に戻った。

「亮吉、その方に白湯を差し上げてくれ」

「へえっ、若親分」

亮吉が政次から茶碗を受け取り、

「手代さんよ、ゆっくり白湯を飲みねえな。もうなんの心配もいらねえ、ここは金座裏の宗五郎親分の玄関先だ」

と差し出した。

黙って頷いた若い男が震える両手で茶碗を掴《つか》み、がたがたと揺らしながらも口に持っていこうとした。それに亮吉が手を添えて飲ました。

喉が鳴り、一気に白湯が飲み干された。

ふうっ
と息を一つついた。

「手代さん、落ち着いたか」

と政次が話しかけた。

「はっ、はい」

「どうしなさった」

「わ、私は白壁町《しらかべちょう》の造園竹木問屋丸籐《まるとう》の手代の参吉《さんきち》にございます」

「丸籐の手代さんでしたか、確かに白壁町にお店がございますね」

造園竹木という商売柄、根岸に広大な敷地を持って一つ何十両もしようという庭石がいくつも転がり、枝振りのいい庭木が何百本と植えられていた。そのお店は白壁町にある。江戸でも有数の造園業であり竹木問屋であった。

政次は、まだ完全には落ち着いたとはいえない参吉の気持ちを鎮めようとした。

「参吉さん、どうしなさった」

「本日、番頭の佐兵衛《さへえ》様の供で川向こうまで掛取りに行きました」

「ご苦労でしたな、それで」

「金子を頂戴《ちょうだい》して舟で大川を渡り、江戸橋北詰めで下りましてございます」

「白壁町の店に戻るにしては中途半端なところで舟を捨てられたな」

「はい。番頭さんにもう一つ御用がございまして、堀留町《ほりどめちょう》の碁会所に立ち寄られたんです。私は一刻半ほどぶらぶらと時を潰して番頭さんを迎えに参りました」

「うむうむ」

政次はじっくりと話を聞き出そうとしていた。

「番頭さんと一緒に碁会所を出て、神田堀に出て、堀端を東仲ノ橋まで上がってきたところをいきなり頰被《ほおかぶ》りした男が匕首《あいくち》を翳《かざ》して襲ってきて、番頭さんが胸を刺されたんです。金子目当ての物盗《ものと》りです、私はびっくりして突っ立ってました。物盗りがさっと姿を消したんで、番頭さんの様子を見ましたが、私になにかを言いかけられようとなされた後、ことり、息が絶えたんです」

「堀端のどっちの道を通りなさった。南側か北側かえ」

「はて、どっちだったか」

「本銀町《ほんしろがねちよう》側ですか、それとも紺屋町《こんやちよう》側の河岸道かな」

「本銀町側の道です」

常丸らはすでに御用提灯を点して仕度を終えていた。参吉の言葉を聞いて、手先たちが飛び出していった。

金座裏の玄関先に残ったのは政次と彦四郎だけだ。

「参吉さん、供を願おうか」

と金座裏の宗五郎が姿を見せ、

「ようもうちに駆け込みなさったな」

と聞いた。

「金座裏のことは、この界隈の者ならだれでも承知です、番屋に行くより早いと思いました」

「そうかえ」

宗五郎と政次に付添われるように参吉が玄関を出て、外戸の格子戸を跨《また》いだ。その三人になんとなく彦四郎も従った。

「参吉さん、番頭さんが息絶えたのは確かかえ」

「亡くなられたと思います。息があるんなら私は金座裏より外科医の渡辺玄伯《わたなべげんぱく》先生のところに走ります」

と答えた。

参吉は生来しっかり者のようだ。だが、まだ驚きに落ち着きを取り戻していないことも確かだった。

政次は参吉の懐が膨れていることや無意識の裡《うち》に腹を気にしていることを訝しく思っていた。

「参吉さん、おまえさんは物盗りと言いなさったが、そいつは番頭さんから金子を奪って逃げていったか」

と政次が聞き、

「はい。掛取りの二百両を番頭さんはお持ちでしたから」

「おまえさんの、その腹の中身はなんだえ」

と政次に聞かれ、参吉が腹を触って、

「あっ、そうだ。掛取りの金は私が預かっていたんだ」

とようやく腹中の金子に気付いた。

「となると物盗りではなくなるか」

宗五郎が言い、さらに聞いた。

「参吉さん、堀留町の碁会所は賭《か》け碁が盛んと聞いたが、番頭さんもその口か」

「親分、ご存じで」

「おれの縄張り内だ。まあ、何事もなければ世間の楽しみの一つ、奉行所もお目こぼしにしていなさる」

「番頭さんは賭け碁が大好きで、旦那様に度々ご注意を受けておられました」

「大金を賭けたか」

「それは存じません。ただ今日は上機嫌で出てこられましたから、よほど成績がよかったと思います」

と答えた参吉は、

「賭けで勝った金子を盗られたかな」

と呟いた。

丸籐の番頭佐兵衛は東仲ノ橋下の川岸の暗がりに転がっていた。

「親分、物盗りかねえ。心臓を一突きに抉《えぐ》っているぜ」

と先に現場に到着していた常丸が宗五郎に言った。

「それだ、参吉さんは掛取りの金子を奪い取られたと早とちりしていたようで、金子の二百両は参吉さんが懐に持ってなさった」

「それで納得だ。懐の巾着《きんちゃく》も手をつけてねえぜ」

「巾着にはいくらある」

常丸が縞の巾着を調べて言った。

「十二両と二分ばかりだ」

「佐兵衛の所持金だな」

「巾着の様子から、お店の金ではないようだぜ」

参吉は提灯の明かりに照らされた番頭の死に顔を呆然《ぼうぜん》と見ていたが、

「親分、巾着は番頭さんのものです」

と答えていた。

「丸籐の番頭さんは普段からこんな大金を持ち歩かれるのかえ」

「いえ、普段は精々二、三両どまりと思います」

「十両は賭け碁で勝ったというわけか」

参吉は答えない。

宗五郎と政次は、亮吉が照らす提灯の明かりで死体を調べた。

迷いもなく一突きに心臓を抉っていた。

「素人のやり口じゃねえな」

「殺すつもりで襲ってやがる。その証拠に参吉さんには手もつけてねえ」

「そういうことだ」

江戸でも名代の造園竹木問屋丸籐の番頭が意外にもなよっとした風采《ふうさい》で、着物も持ち物も凝っているのを宗五郎も政次も気に留めていた。細身の体から香の匂《にお》いが漂っていた。

「寺坂《てらさか》の旦那には知らせたか」

宗五郎が北町奉行所定廻り同心寺坂毅《き》一郎《いちろう》に知らせたか、と常丸に聞いた。

「へえっ、現場を確かめ、直ぐに走らせてありますぜ」

頷いた宗五郎が、

「政次、供をしねえ」

と命じた。

「常丸、堀留の碁会所に回ると寺坂の旦那に申し上げてくれ」

と告げた。

「へえっ」

「それと丸籐に知らせろ」

「私が行きます」

と参吉が応じたが、

「うちの者を走らせる。おまえさんはちょいとおれに付き合いねえな」

と碁会所へ同道することを命じた。

四

日本橋川から北へ向かって掘られた堀江町の入堀は、東堀留川と呼ばれ、南から思案橋、親仁橋《おやじばし》、万橋《よろずばし》と三本の橋が架《か》かり、そのどん詰まりが堀留町だ。この界隈でただ、

「堀留の碁会所」

と呼ばれる表店を坊主頭の草蔵《そうぞう》が仕切り、

「海坊主の碁会所」

とも碁好きの間で呼ばれていた。

四つ（午後十時）に近い刻限だというのに、板塀を周囲に巡らした碁会所には人の

気配があった。海坊主の碁会所は賭け碁をする客が多いだけに、まま徹夜で店開きしているのだ。むろん賭け碁も終夜営業もお上の目を潜《くぐ》ってのことだ。

東堀留川の両岸には鰹節《かつおぶし》、塩乾魚《えんかんぎょ》、畳表、砂糖、団扇《うちわ》、綿糸綿布の問屋が軒を並べ、旦那衆が多く住んでいた。これらが賭け碁の客筋だった。

参吉を表に待たせて、

「御免よ」

と政次が内玄関の戸口で声をかけると、ぱちんぱちんと碁石が碁盤に打たれる音が急に止み、戸口を窺《うかが》う様子があった。

「だれです」

草蔵の様子を窺う声が聞こえた。

「金座裏の宗五郎でございますよ」

と政次が告げると小さく、
ひゃっ
と悲鳴が響き、慌ててなにかを片付ける気配がした。

「海坊主、押し込むなら最初から押し込んでいるぜ」

宗五郎が叫び、奥から慌てて草蔵が飛んで出てきて戸を開けた。

「これは親分さんで」

「海坊主、この界隈はおれの縄張り内だ。ここでなにが行われているか知らないおれじゃねえ。だがな、そいつに付け込んで派手な真似をされると、おれも北町の手前、立ち入らざるをえねえ。そんな真似をさせるんじゃねえぜ、草蔵」

宗五郎の静かな啖呵に草蔵が玄関先で大きな体を折って、這《は》い蹲《つくば》った。

「先ほどまで丸籐の番頭の佐兵衛がいたな」

「へえっ」

「いくら賭けに勝ったえ」

「親分、うちでは」

「草蔵、海坊主の碁会所で賭け碁が流行《はや》っているのはとっくに承知と言ったはずだぜ」

「親分、すまねえ。佐兵衛さんは五両、いや、十両も勝ちなさった。こんな大勝ちは佐兵衛さんも初めてですよ」

「相手はだれだ」

草蔵はもじもじして答えられない。

「どうした、おれが中に踏み込みゃあ、その場にいる客全員をお縄にすることになるぜ。いいな」

奥から無言ながら恐怖に混乱する様子が漂ってきた。しばらくすると腰を屈《かが》めた老人が出てきた。

「金座裏、面目ねえ」

宗五郎が見ると本小田原町の乾物問屋上総屋《かずさや》の隠居幹右衛門《かんえもん》だ。

「上総屋の隠居も碁に取り付かれなさったか」

「年寄りに残された楽しみだ。金座裏、すまねえ、このとおりだ」

と草蔵の隣に座った隠居が両手を合わせた。

「隠居、おれに両手を合わされても仏様じゃねえや。今晩のことは後日改めて話そうか。丸籐の番頭と賭け碁をしていたのは確かなことですな」

「へえっ、いつもは弱気の佐兵衛さんが一勝負五両なんて大きく出るものだから、つい乗っちまったんだ。それも二番も立て続けに負けちまった。ついてないよ。この次はなんとしても借りを返しますよ」

と幹右衛門は負けたのがよほど悔しいのか、宗五郎がその場にいることを忘れてそんなことまで言った。そして、聞いた。

「親分、佐兵衛さんがどうかしなさったか」

「神田堀の東仲ノ橋そばで突き殺されて骸《むくろ》になり、転がっていらあ」
草蔵と幹右衛門の二人は、
ぽかん
とした顔をしていたが、やがて幹右衛門が、
ひゃっ
と驚きの声を上げた。
「海坊主、佐兵衛が帰ってから直ぐに出ていった客はいないか」
「うちの客がそんなことをしたと親分は言いなさるんで」
と聞きながらも思案した草蔵が、
「佐兵衛さんが帰った後、だれ一人として客は帰ってないよ。碁が好きな連中ばかりが残ったからね」
と請け合った。
「御免なさいな」
と政次がしなやかにも長身を機敏に動かして玄関から奥の間に通った。客を確かめるためだ。
「物盗りかねえ」

幹右衛門が聞く。

「掛取りの金子は手代が懐に持っている。隠居から勝ちを得た金子の十両を含め、自分の所持金も殺された佐兵衛の懐に残っていた」

「そんじゃあ、佐兵衛さんはなんで殺されなさった」

幹右衛門は佐兵衛が殺されたことに興味を持ったか、聞いた。

「いきなり心臓を一突きだ」

「手代さんは」

「殺しをうちに知らせてくれたのが手代だ。今も表まで一緒に来ていらあ」

「親分、こりゃあ、碁会所の線じゃあありませんよ」

幹右衛門のご託宣に宗五郎は苦笑いして、

「隠居、他の線とはなんだ」

と聞いてみた。

「そりゃあ、親分、こっちの縺《もつ》れじゃないかねえ」

幹右衛門は手を裏に返して顔の横に立て、なよっと科《しな》を作って体を崩した。

「佐兵衛は女より男か」

「一目瞭然《いちもくりょうぜん》、体じゅうからそんな匂いがしてきましょう」

「となると隠居、どこを探索すればいいね」

と宗五郎が聞いた。

「それは分かりませんよ。この年になると女も男もありゃしないや」

「賭け碁一辺倒か」

「そんなとこだ」

「大っぴらに広言されると伝馬町《でんまちょう》の牢《ろう》に繋《つな》がれることになるぜ」

「親分、おまえ様でよかったよ。当分、賭け碁は止めだ」

と幹右衛門が言い、宗五郎が隠居から草蔵に視線を移した。

「手代さんがよく承知だろうよ。なんでも新《あたら》シ橋《ばし》近くの久右衛門町《きゅうえもんちょう》に馴染みがいるとかいないとか噂《うわさ》には聞いたがねえ」

「海坊主、おまえさんもそっちだと言いなさるか」

「賭け碁で恨みを買われる人物ではございませんや、今晩は珍しく隠居に二番続けて勝ったがさ、こんなことはこの数年来なかったことだ。佐兵衛さんは客の間ではいい鴨《かも》だったからね、そんな鴨をだれが殺すものか」

「今晩は勢いがありましたよ。だれか別なところで教えを受けているんじゃないかねえ」

と幹右衛門が腹立たしげに首を捻《ひね》った。

政次が奥から姿を見せて、

「客は隠居を含めて六人です」

と報告した。

「すべて控えたな」

「はい。顔を承知の方ばかりです」

よし、と言った宗五郎が、

「海坊主、言い忘れたことはないか」

「ございません」

「なんぞ思い出したら金座裏に知らせてくれ」

「親分、今晩のことは恩にきますぜ。なにか小耳に挟んだら即刻金座裏に駆け付ける」

と請け合った。

海坊主の碁会所を出たところで宗五郎は手代の参吉に顔を向けた。

「佐兵衛の馴染みの男はだれだえ」

宗五郎がずばりと聞いた。

「親分、そんなこと言えませんよ」

「人ひとり、それもおめえんとこの番頭が殺されたんだぜ」

「だって、番頭さんはそっちの方面だけは険しいくらい隠しておいででした」

「かげま狂いを皆に内緒にしていたか」

「はい。店のだれ一人として気付いていないと思われておいででしたが、皆は承知していました」

「久右衛門町に男を囲っているそうじゃねえか」

「親分、そんなことまで」

「なあに、今海坊主に聞いた話よ」

「碁会所でも知れていましたか」

と答えた参吉が、確かに籾御蔵《もみおくら》と飼鳥屋敷の南側に、

「専《せん》様という若い男を囲っているという話です」

「家を承知か」

「一度、新シ橋近くまでお供したことがありますから、なんとなくおよその見当はつくと思います」

よし、と答えた宗五郎は政次と参吉を従え、神田堀の殺しの現場に戻った。すると

北町奉行所定廻り同心の寺坂毅一郎が小者《こもの》を従えて出張っていた。

「ご苦労に存じます」

「なんぞ分かったか、金座裏」

宗五郎は碁会所でのやり取りを寺坂に報告し、参吉からの情報を最後に伝えた。

「ならば専様とやらのお屋敷に乗り込むか」

「へえっ」

宗五郎は常丸らに佐兵衛の亡骸《なきがら》を番屋に運ぶように命じると寺坂の供で新シ橋に向かった。

参吉は正しくは神田久右衛門町一丁目蔵地の裏手にある、小体《こてい》な家を見付けるのに四半刻《しはんとき》も手間取ったが、なんとかそれらしき家の前で、

「ここだと思います」

と指した。それは黒板塀に囲まれた、

「妾宅《しょうたく》」

と見紛《みまが》う家だった。

「専様は何者だえ」

宗五郎が森閑と眠りに就いたような家を窺いながら参吉に聞いた。

「なんでも湯島天神のかげま茶屋にいた若衆だそうでございます。それを番頭さんが落籍《ひか》したとか」

「湯島か」

宗五郎が政次に合図し、政次がまず細い格子戸に手をかけた。すると錠が下りていないのか、すうっと開いた。

政次は石畳の道を玄関に向かい、今度は玄関戸を開いた。こちらも戸締りはされていなかった。

奥から有明行灯《ありあけあんどん》の明かりが洩れてきた。

「だれかおられませんかえ」

政次が叫んだが答える者はいなかった。

「おかしいな」

宗五郎が呟き、政次は暗い玄関先に顔を突っ込んで、くんくんと嗅《か》いでいたが、

「親分、酒に混じって血の匂いがします」

と言い残すと、有明行灯の明かりの点る部屋に突進した。

「なんてこった」

政次の洩らす呟きを聞いた宗五郎が参吉に、

「おめえはここで待ちねえな」

と命じ、無言の寺坂と奥へ通った。

政次は神棚のある居間で、女物の長袖《ながそで》をぞろりと着た男女《おとこおんな》が裾《すそ》を乱して倒れ込んでいる姿を見下ろしていたが、二人の入室を知ると有明行灯の明かりを角行灯の灯心に移した。居間の惨劇の様子が鮮明に浮かび上がった。

綺麗《きれい》に化粧をして紅をつけた専様の顔が苦悶《くもん》に歪《ゆが》んでいた。女と見紛うりざね顔で、男の政次らが見ても艶《なまめ》かしかった。それが苦悶に歪んでいるだけに壮絶だった。

膳が二つ出ていた。

何本か、徳利が転がって残った酒が畳に染みていた。

「金座裏、こいつも心臓を一突きに刺し殺されているぜ」

「寺坂様、この場の様子から、佐兵衛殺しよりこっちが先ではございませんか」

「殺されて二刻は経っているかもしれんな。専様を殺した野郎がその後、佐兵衛を殺《や》ったか。まず同一の下手人だろうな」

「間違いのないところですぜ。男同士の痴情が因《もと》での殺しかな」

寺坂と宗五郎が専様を見下ろしながら話し合い、政次は専様の相手が前にしていた膳の箸を気にしていた。

「どうした、政次」

「箸先に紅が付いておりますんで」

「専様も紅を掃いていらあ、相手もかげまかもしれないぜ」

「女ということはございませんか」

「となると専様か佐兵衛のどちらかが両刀使いということになるぜ」

「参吉を尋問してようございますか」

「好きなようにやれ」

宗五郎が許しを与え、政次が表に待たせた参吉を玄関口まで呼んだ。奥の二人も出てきた。参吉はなんとなく奥が気にかかるようで、ちらちらと見ていた。

「なんぞございましたか」

「専様と思えるかげまが殺されている」

「なんということが」

「参吉さん、ちょいと聞きたい。おまえさんに最初に佐兵衛さんが専様というかげまを囲っていると教えてくれたのはだれだえ」

「番頭の光蔵《こうぞう》さんですけど」

「丸籐には何人番頭がおられますな」

「佐兵衛様が筆頭番頭でございまして、その下に三人の番頭と同格の職人頭が四人おります」

「光蔵さんは佐兵衛さんの次席ではありませんか」

「よくご存じですね」

「もし佐兵衛さんになにかがあれば、光蔵さんが筆頭番頭に昇進なされますか」

参吉はその問いには答えなかった。長い沈思の後、

「さてどうでしょう」

と首を傾げた。

「どういうことかな、参吉さん」

「光蔵さんは最近も佐兵衛様に呼ばれ、こっぴどく叱られていました」

「なぜですね」

「品川の遊女を落籍してどこかに囲ったとか。その金子の出所を佐兵衛様にねっちり咎《とが》められたそうです」

「店の金を使い込んだというわけですか」

「だと思います」

「丸籐の旦那には知られてないのですか」

「なんでも光蔵さんは、金子は使い込んだんじゃない、ちょっとの間、お得意様に融通しただけで、二、三日内に返済すると言ったとか言わないとか。佐兵衛様はその様子次第で根岸の旦那様に相談するつもりだったようです」

「その話、だれから聞いた」

「佐兵衛様がぼそりと御用の折に申されました」

筆頭番頭が次席番頭の不始末を手代に洩らす、なんというお店だと政次は思った。

「丸籐では筆頭番頭が賭け碁に凝った上にかげままで囲い、次席番頭が女郎を落籍す。よほど遊び好きばかり集まりましたな」

「うちは物を売る商いではございません。分限者相手に庭を造ったり、庭石を飾る職人気質《かたぎ》の仕事です。仕事さえちゃんとこなせば、どんな遊びをしようと定法に触れなければ自由なんです。だけど、仕事に手を抜くのと店の金子に手を付けるのだけは許されません。奉公人は店に入る時に必ず誓約書を書かされます」

政次が宗五郎を見た。

「政次、この事件、おめえに任せよう。最後までやり通してみねえ」

宗五郎の命を政次は畏まって受けた。

その夜の内に造園竹木問屋の丸籐の次席番頭光蔵は南茅場町《みなみかやばちょう》の大番屋に呼げれるこ

とになった。だが、光蔵は白壁町の店から忽然と姿を消して、行方を絶っていた。

なんとも落ち着かない夜が明けた。

騒ぎから十日余り、政次は常丸や亮吉らと一緒に光蔵の行方を追った。

だが、江戸のどこへ潜り込んだか、光蔵の行方は杳《よう》として知れなかった。なにより光蔵が落籍させて囲ったという女の妾宅が知れなかった。

そんな日の夕暮れ、政次と亮吉が連れ立って、豊島屋に姿を見せた。二人の疲労困《こん》憊《ぱい》した表情にさすがの清蔵も、

「探索がどうなっているか」

とは尋ねられなかった。清蔵はしほを呼び、

「あの二人に黙って酒を飲ましてやりなさい」

と命じたほどだ。しほも、

（御用にはいいことも悪いこともあるわ）

と考え、勝手に世間話をして、黙々と田楽を頬張り酒を飲む二人の相手を務めた。

無益な探索が十数日も続き、丸籐の筆頭番頭佐兵衛とその相手のかげま美倉専太郎《みくらせんたろう》殺しは迷宮入りの様相を見せ始めていた。

第二話　二太郎の仲

一

政次《せいじ》はツキを変えるために赤坂田町直心影流《じきしんかげりゅう》道場神谷丈右衛門《かみやじょうえもん》の下へ久しぶりに朝稽古《げいこ》に出向き、とことん体を苛《いじ》めて汗を流した。相手をする門弟たちが、

「今朝の政次は凄《すご》みがあるぞ」

「若親分、しほちゃんに剣突《けんつく》を食らわされたか」

などと噂《うわさ》をし合ったほどだ。

その様子を見ていた丈右衛門が、

「政次、相手をせよ」

と自ら打ち込みの相手になり、政次がくたくたになるまで引き回し、叩《たた》きのめした。

「よし、これまで」

と丈右衛門が稽古の終わりを告げたとき、政次は、

「ご指導有難うございました」

と礼を言うのもそこそこに道場の床に長々と伸びて、荒い息を吐き続けた。しばし時をおいて政次に息を整えさせた丈右衛門が、

「政次、御用のことでなんぞあったか」

と聞いた。

道場の朝稽古の終わる刻限だ。

正座し直した政次は、

「はい。単純と思えた事件が、どうしても解決の目処《めど》がつきませぬ」

とこの十数日振り回された事件の概要を御用に差し支《つか》えないように注意して語った。

「ほう、丸籐《まるとう》の番頭が殺されたか。下手人も次席だった番頭と分かっておる、だが、その行方が知れぬか」

と呟《つぶや》き、

「おい、政次は御用のうっぷんを晴らすために道場に久しぶりに顔を出したようだぞ」

と珍しく門弟たちに冗談を言った。

「政次、そんなことであったか。とばっちりを受けたわれら、迷惑極まりないぞ」

と師範代の龍村重五郎《たつむらじゅうごろう》がぼやいた。

「重五郎、このところ、そなたらの稽古、惰性に流れておった。政次が本気を出させたのだ、有り難く思え」

　と丈右衛門が言い、

「はっ、全くもってさようにございます。政次若親分、その気にさせて頂き、真《まこと》に恐縮に御座った」

　と重五郎が礼を述べて一座に笑いが起こった。

　政次は体を苛め抜いて、もやもやを吹き飛ばし壮快な気分になっていた。そして、

（心を許した仲間とはよいものだな）

　と久しぶりに心が洗われる感じを持った。

「政次、町方の御用のことは剣術遣いには察しもつかぬ。ゆえにおれの言葉が当たっているかどうかも分からぬ。年寄りの繰言《くりごと》と思うて聞け」

「先生が年寄りだなんて、弟子のだれ一人考えておりませぬ」

　と応じた政次は畏《かしこ》まった。

「物事がうまくいかぬときはな、しばしば重箱の隅ばかりつついていることが多い。事件の外面を一旦《いったん》忘れて、大局から事件を眺め直してみぬか。意外な様相が見えてくるやもしれぬ」

政次はしばし沈思し、はた、と気付いたように、

「先生、瑣事《さじ》ばかりを追い回していたやもしれませぬ。もう一度事件全体を眺め回すところからやり直します」

と答えていた。

丈右衛門は政次の顔からなにか靄《もや》が一枚薄れたようで、笑う余裕が出たのを見て、

「うんうん」

と頷《うなず》いていた。

その朝、政次は金座《きんざ》裏《うら》の朝餉《あさげ》に間に合わないばかりか、昼餉の刻限になっても戻らなかった。亮吉《りょうきち》が、

「常丸《つねまる》兄い、剣術の稽古に出かけた若親分、まるで鉄砲玉だぜ、帰ってくる気配が全くない。探索、どうしたものかねえ」

と表ばかりを見回していた。

「若親分は此度《こたび》の事件に手古摺《てこず》っておられる。ちょいと悩んでおいでだったから、赤坂田町に出向かれたんだ。こんなとき、子分はな、大将の新たな決断が下るまで我慢して待つことだ」

「ただ待っていればいいのか」

「亮吉、頭が迷っていなさるときには、手先は基本の基に戻るんだよ。殺しの現場に戻ろうか」

「昨日も行ったぜ」

「だから、現場百回、なんぞ見落としているかもしれないじゃないか」

と常丸に言われた亮吉ら、若手の手先たちが金座裏からぞろぞろと出ていった。

そんな様子を宗五郎《そうごろう》は黙って見ていたが、

「おみつ、ちょいと思い立った。出てくるぜ」

と長火鉢の前から御輿《みこし》を上げた亭主におみつが羽織を着せかけた。


昼餉の刻限が過ぎようとした頃合、政次の姿は根岸の丸籐の広大な敷地にいた。江戸でも有数の造園業にして竹木問屋だ。何千坪ともしれない広大な敷地に江戸の近郊の山々から集められた名木珍木の樹木や河原から運ばれてきた庭石があって、一見乱雑に植えられ、置かれているように見えた。

昼餉を終えた職人たちが庭木の剪定《せんてい》を始め、大きな庭石を動かし始めた。

そんな様子を政次は河原から運ばれてきた石に腰を下ろして飽きずに見ていた。

それから四半刻（三〇分）も過ぎた頃合か。丸籐の屋号、○の中に籐の一字を背中に染め抜いた長半纏《ばんてん》を着た男が作業場に出てきて、政次の姿に目を止め、声をかけた。

「金座裏の若親分じゃあございませんか」

政次が見ると丸籐の五代目籐右衛門《とうえもん》だった。五代目は四十の半ば、働き盛りで、大店《おおだな》の旦那というより職人の親方のような風采《ふうさい》をしていた。

「丸籐の旦那、お邪魔をしています」

事件以来、なんども顔を合わせ、話を聞いた仲だ。

「御用なれば家に来て下さればいいものを」

「旦那、御用の目処が立たずに丸籐さんには迷惑をかけております。どうも初めの手順を間違えたか、佐兵衛《さへえ》さん殺しの下手人の行方が摑《つか》めず、手をこまねいておりますのさ」

「光蔵《こうぞう》はどこに消えたか、行方が知れませんか」

「はい」

と政次は素直に認めた。

ふーうっ
と息を吐いた籐右衛門が、

「わっしもねえ、金座裏に行こうと思っていたんだ」

と政次が座る隣に腰を下ろした。

「なんでございますな」

「若親分、あれから白壁町《しらかべちょう》の店の帳簿をじっくりと隠居した親父《おやじ》と調べ直しました。光蔵が当初店の金子《きんす》に手をつけたのは百四、五十両だろうと思っておりましたが、得意様の滞った付けを細かく集めておりましてな、なんと三百二十数両の巨額に上ることが分かりました」

「そんなにも大きな穴を空けておりましたか」

一日も早く光蔵を捕縛する必要がますますあった。

「若親分、わっしら丸籐はね、初代から商人というより庭木職人の心積もりで商いを続けてきました。うちの家訓は『土と一緒に過ごせ』です。わっしらが根岸村に住まいするのも庭木庭石のある土の傍で造園の素材を見て過ごすためだ。白壁町に店をおいてはいるが、わっしらが顔出しするのは一月に一度あるかなしかでしたよ。商いがちゃんとしているかどうか、庭木と一緒だ、枝ぶりや葉を見れば一目瞭然《いちもくりょうぜん》と思っていましたよ。だが、人間はそうじゃあなかった、主《あるじ》一族が別の場所にいれば、つい甘えが出て、店のものか自分のものかの区別もつかなくなる。此度《こたび》の一件で親父もわっしも大いに悔いていますのさ」

政次は頷いた。

白壁町の店では番頭の佐兵衛が主に代わり金子の出し入れを差配していたが、

「店の金子と商いを疎《おろそ》かにしないかぎり、自分の裁量での遊びは自由」

という、職人気質《かたぎ》の風潮があったという。その自由な雰囲気が此度の騒ぎを誘ったことも確かだと思えた。

「旦那、本日、こちらに寄せてもらったのは探索に迷ってのことです。一つだけ聞きたいことがございましたがねえ、根岸の広い敷地に配置されている巨岩や老樹を見ていると丸籐さんの一族が土の傍にいよ、という家訓が得心できます。石も木も生き物ですね、乱雑に配置されているようで石や木が呼吸し易い場所に置かれているのがわかります」

「そうですかえ」

五代目籐右衛門が嬉《うれ》しそうに笑った。

「若親分は金座裏の十代目に松坂屋さんから引き抜かれたと聞いたが、さすがだねえ。見るところはちゃんと見ていなさる。そうなんですよ、勝手放題におかれているようで、長年の職人の勘でおく決まりがございましてね。お客さんの庭に移植した光景までを考えて、このように配置していますのさ」

政次は大きく頷き、

「いや、見事な配置です」

と応じると籐右衛門が苦笑いして、

「庭造りの要諦《こつ》を、鳥の眼で見て、虫の眼で手を加えよと教えられてきました。庭石や庭木相手にそれが出来たものを、奉公人相手にそれを怠っていた。わっしらは木を見て、森を見てなかった」

と嘆いた。

「金座裏の若親分、光蔵の遣い込みを佐兵衛が長年どうして見逃してきたと思いますね」

政次が今日聞きにきたことを籐右衛門が先に問いかけていた。

「私もそのことを訝《いぶか》しく思うておりました」

「百何十両にしろ、店の金子を遣い込んだことが発覚したときに、わっしらに報告するのが佐兵衛のなにより真っ先にやる務めだ。そう思いませんかえ」

政次は首肯《しゅこう》した。

「もしかして」

「へえっ、そのもしかなんで。佐兵衛もねえ、店の金子に大きな穴を空けておりました。帳簿を巧妙に改ざんして、なかなかつまみ食いが発覚しないような細工を施してあった」

「佐兵衛が穴を空けた金子はいくらです」

「つまみ食いともいえませんや。あれやこれやと、ただ今までの段階の調べで七百両を越えております」

「なんということが」

と驚きの声を発した政次に、

「腹黒い大鼠《ねずみ》一匹も飼っていたのに、わっしらは気付きもしなかった」

「だが、そのことに気付いた者がいた、光蔵ですね」

「同じ穴の狢《むじな》がそいつに気付いた。光蔵は、佐兵衛が店の金子をちょろまかしているのを承知で自分も始めたんですよ。だから、佐兵衛が大目玉を落としても平気の平左《へいざ》だった」

「そういうことでしたか」

「今度ばかりは親父もわっしも飯が満足に喉《のど》も通らないくらい驚いています。光蔵をおまえさん方がふん捕まえた後、白壁町の店をどうするか、決めるつもりです。ともかく店が潰《つぶ》れることはございませんが、この痛手を取り戻すのに三、四年かかりましような」

と答えた籐右衛門は、番頭二人の遣い込み事件、世間には出来ることなら内緒にしてほしいと頼んだ。奉公人の監督不行き届きは丸籐の信頼を大きく揺るがすことになる。当然な頼みだった。

政次は金座裏を信頼して内情までを話してくれた五代目に頷いて承知し、願った。

「籐右衛門の旦那、今しばらく時を貸して下さいな。この騒ぎ、最初から探索のやり直しを致します。私どもも木を見て森を見ていなかった」

籐右衛門が今度は頷き、

「その道に慣れた人間ほど、その間違いを犯すものですよ」

と忠告してくれた。


政次が金座裏に戻ったとき、しほがおみつに浴衣《ゆかた》の縫い方を教わりに来ていた。

しほは近頃の政次の突き詰めたような表情が気になって、縫い物に事寄せて金座裏に訪ねてきたのだ。

「しほちゃん、来ていたか」

しほは、直《す》ぐに政次の顔がどことなく明るく変わったことに気付いた。

「道場でなにかあったの」

「神谷先生に教えを受けてねえ、道場の帰りに根岸に回ったんだ」

「ご飯はどこかで食べたんだね」

とおみつが聞く。

「おっ養母《か》さん、それが朝餉も昼餉も食べるのを忘れちまいました」

「あら、大変だよ」

「早速仕度するわ」

と女二人が台所に走り、政次も従った。

豆腐と葱《ねぎ》の味噌汁《みそしる》が温めなおされ、白す干しに大根おろし、がんもどきの煮物で三杯飯を食べて、政次はようやく落ち着いた。そんなところに常丸や亮吉たちも戻ってきた。

「おや、若親分、随分と早飯だねえ」

「亮吉さん、朝餉も昼餉も抜きなんですって」

「えっ、飯も食べずに剣術の稽古《やっとう》かえ」

「いや、根岸に足を伸ばしていたんだ。五代目の籐右衛門さんと話してきた」

と政次が言い、

「明日から探索のやり直しだ」

「若親分、そいつはいいがさ、どこから手をつけるんだ。光蔵の野郎、地に潜ったか、空に舞い上がったか、行方知れずで探しようがないぜ」

と亮吉がぼやいた。

頷いた政次は、

「おっ養母さん、親分はどこかへお出かけですか」

「うん、常丸たちが現場百回なんぞと神田堀に出た後さ、ふらりと出ていったきりだ。もうそろそろ戻ってもいい時分だがねえ」

とおみつが応じるところに格子戸が開く音がして、宗五郎と八百亀《やおかめ》が一緒に戻ってきた。

そこで政次たちは台所から居間へと移動した。

「おおっ、顔が揃《そろ》っているところを見るとなんぞ思案がついたか」

宗五郎が尋ね、羽織を脱いでおみつに渡した。

「親分、ちょいと聞いて頂きたいことがございます」

と前置きして五代目籐右衛門から聞いた話を宗五郎と一座に報告した。さすがにこの話には一座が驚いて言葉もない。

「なんと二匹の大鼠が空けた穴は千両を越えるか、驚いたぜ」

「丸籐の五代目はお店を番頭方に任せ過ぎたと大いに反省なされておりました」

「丸籐は昔から丁寧な仕事で評判をとってきたお店だ。主一族が率先して現場に出て陣頭指揮して庭造りする姿勢が受けてきたのだが、今度ばかりはそれが裏目に出たな」

と応じた宗五郎が、

「今度の大損で丸籐の店は揺らぎそうか」

「さすがに大店です。籐右衛門様は泰然自若《たいぜんじじゃく》としておられましたが、お店を立て直すのに三、四年はかかりそうだとも覚悟されていました」

「次席番頭の行方だが、分からないか」

「処々方々を調べましたが光蔵が姿を見せたところはございません。そこで一旦光蔵の行方を追うことを止《や》めようかと思います」

「どうするな、政次」

「迂遠《うえん》な方法かもしれませんが、佐兵衛と光蔵の二人の番頭の身元から普段の暮らしまでをもう一度徹底的に洗い直そうかと思います」

下手人と目される光蔵はこれまでも調べられていたが、被害者の佐兵衛の所業はまだ手が付けられていなかった。

「いいだろう。政次の好きにするがいい」

宗五郎が許しを与えた。

「政次、しばらく八百亀を連れて歩きねえ。八百亀は丸籐の先代も承知だ」

「八百亀の兄さん、頼む」

と政次から頭を下げ、

「なんの役にも立つまいが、甲羅だけは重ねてきたからね」

と笑った。

「赤坂田町の先生にも、重箱の隅をつつくような探索をしておるのではないか。高みから大局を眺めて見よとのご注意を受けました」

「そうか、そういうことか」

宗五郎は気になることがあって根岸の丸籐を訪ねたのだ。だが、先に政次が行っていて籐右衛門と何事か親密に話している様子に、

（どうやら壁は乗り越えつつあるようだ）

と声も掛けずに後戻りして、金座裏の番頭ともいえる老練な手先の八百亀の所に立ち寄って、金座裏に戻ってきたのだった。

政次がてきぱきと今後の探索を常丸たちに命じた。その様子を見ながら、宗五郎は煙管《キセル》に刻みをゆっくりと詰めた。

二

かげまの専様こと美倉専太郎《みくらせんたろう》は湯島のかげま茶屋菊水《きくすい》の抱えだったという。かげまは陰間とも書く。

江戸には小供屋と称してかげまを抱える置屋がいくつかあった。

日本橋芳町《よしちょう》、本郷湯島、神田花房町《はなぶさ》、芝神明社《しばしんめいしゃ》門前が有名で、その筋では芳町、湯島を格別とした。

かげまは芝居役者の出が多い。芳町では役者の弟子という奉公請状で抱えられていたという。

専太郎もかたちばかり宮芝居の女形《おやま》と称していたが、本業はその筋の客に体を売る男娼《だんしょう》だった。

「こんなことがいつか起こるんじゃないかと、気にはしていましたよ」

政次と八百亀は湯島に上がり、かげま茶屋菊水の化粧の匂《にお》いが染み付いた帳場で、主の義太夫《ぎだゆう》からまず最初にそんな感想を洩《も》らされた。

「佐兵衛さんとは三年前、専太郎が十七の年からの知り合いでね、佐兵衛さんは、それまで芳町にもっぱら出入りしていましたよ」

　それが専太郎の美貌《びぼう》と床上手の噂を聞き付け、菊水に遠出して専太郎の虜《とりこ》になり、ついには一年三ヶ月前に菊水に大金を払って、専太郎を自分ひとりのものにしたのだ。

「金座裏の若親分、専太郎は宮芝居の女形上がりじゃねえんで。内藤新宿の煙草《タバコ》屋美倉屋の倅《せがれ》でしてね、幼い頃から美しい子供として知られてましたよ。うちに来たのは十五の春からです。直ぐに評判になりまして、老練の客からあれこれと教え込まれて、湯島でも評判の小供になりました。名は上げられないが名題の役者もいれば、幕閣のさるお方がお忍びで専太郎を買いにきましたっけ。そいつを丸籐の番頭がかっさらっていったんだ。あんときはだいぶ悔しがっていた客がいましたっけ」

「だれだえ、そいつは」

　と八百亀が義太夫に聞く。

「八百亀、いくらなんでもそんなこと、口に出来るものか。知ればうちも金座裏もただじゃすまないよ」

「そんなに怖い筋かえ」

「怖い筋かどうか、その詮索《せんさく》はやめておくんだねえ」

と義太夫は口を閉ざした。

「主どの、いつかこんなことが起こるんじゃないかと思われたのは、その客筋ですか」

と政次が義太夫に聞いた。

「若親分、おまえさんがうちに来れば直ぐに売れっ子の小供になるよ」

と請け合い、

「義太夫さん、調子に乗るんじゃねえぜ。九代目の宗五郎が呉服屋の松坂屋さんから三顧の礼で迎えた十代目だぜ。かげまにされてたまるものか」

八百亀が本気に怒り、

「八百亀、そうむきになるこっちゃねえや、話しの接《つ》ぎ穂だ」

といなした義太夫が、

「若親分、わっしがさ、気にしたのは専太郎が両刀使いだったということさ。うちでもかげまになった以上、男一筋に務めよと何度も叱《しか》ったがねえ、女とは別れきれなかったと思うよ」

「相手はだれかな」

政次がどろんとした鈍い光を放つ眼光の義太夫を見据えながら問い詰めた。

「今も続いているかどうか知りませんぜ。一人は内藤新宿の大御番《おおごばん》佐橋《さはし》様の娘で専太郎より一つ年下の佐橋お桂《けい》様ですよ。もう一人は年増《としま》だ。こちらも内藤新宿の法是寺《ほうぜじ》の大黒《だいこく》おかつだ。この二人は専太郎がうちから小供で出ていた時代もつながっていたと思います。だが、丸籐の番頭に落籍《ひか》された後は知りませんや」

と答えた。

「義太夫さん、専太郎が抱え時代のまわし男はだれだえ。今もこちらに奉公しているかえ」

と八百亀が聞き、

「新八郎《しんぱちろう》ですが、呼びますかえ」

「なあに、ちょいと確かめたいだけだ。店先でいいぜ」

と八百亀が応じて小供屋のじっとりとした空気が澱《よど》む帳場から立ち上がった。そして、政次がそれに続く挙動を見ながら義太夫は、

「金座裏はいい若い衆を後継に貰《もら》われたよ、うちが先に承知していればな、十手持ちなんぞにさせないよ」

と本気とも冗談ともつかず言い放ったものだ。

まわし男とはかげまに付添い、客の待つかげま茶屋の行き帰りに同道する若い衆だ。

いわばかげまの雑用係だが、その実態はお目付け役であり、用心棒でもあった。

吉原など遊里でいう「遣《や》り手」と思えばよい。

政次と八百亀の二人が菊水のしもた屋風の玄関先で待っていると、まわし男の新八郎が気配もなく姿を見せた。

細身になにか危険な牙《きば》を隠しているように見受けられるのは商売柄か。

「新八郎か、仕事中にすまねえな」

八百亀が一応の挨拶《あいさつ》をして、

「専太郎のことを聞きに来たんだ」

「専太郎がどうかしましたかえ」

無表情の細面《ほそおもて》を八百亀に向け、昔、仕えたかげまを呼び捨てにした。整った顔立ちだが、どことなく自堕落さに塗《まぶ》されていた。

「殺されたぜ」

「だれにです」

「そいつを調べている最中だ」

「佐兵衛さんのことは承知ですね」

「むろん承知だ」

「佐兵衛さんと縺《もつ》れてのことじゃねえんで」

「どうしてそう思うな」

「だってそうでしょうが。佐兵衛は専太郎にべた惚《ぼ》れ、一方専太郎は周りに男も女もうじゃうじゃと侍《はべ》らせているんだ」

「おめえがまわし男を務めていた時代のつながりを今も専太郎は引き摺っていたと思うかえ」

「さて、そいつは存じませんや。だが、かげまの情は男女の愛憎より一段と強いからね」

　と言い、その先はおまえらが調べろという顔をした。

「新八郎さん、専太郎に入れ揚げていた客の中で、今も専太郎と情けを交わす者がいるとしたら、だれでしょうね」

　と政次が聞いた。

　新八郎の濁った双眸《そうぼう》が政次を見た。

「若親分、旦那もいえねえものを奉公人が言えるものか」

　と突き放した新八郎が、
にたり

と凄みのある笑みを浮かべ、

「おまえ様方も金座裏からのしてきたんだ、手ぶらで帰りもできまい。一人だけお教え致しましょうか」

と前置きして、

「御側《おそば》御用人《ごようにん》金森出雲守《かなもりいずものかみ》様も専太郎にぞっこんでしたな」

と呟いた。

『柳営勤仕録』にはこうある。

「御側向御用を掌《つかさど》り、老中伺い等を取次伝達する所の職分なるべし。上の寵遇の深浅によって、其威儀も品あるべき事か」

一見将軍と老中ら重臣との間の取役に見えるが、五代将軍綱吉の御側御用人柳沢《やなぎさわ》吉保《よしやす》は老中の上位にあって、政事《まつりごと》を司《つかさど》っていた。

新八郎がにたりと笑って、調べられるものなら調べてみよという顔を見せたのには理由があったのだ。

政次は新八郎の挑戦を、にっこりとした笑みで返し、

「新八郎さん、助かりましたよ」

と礼を述べた。

二人は湯島裏の小供屋菊水のある路地を出るとほっとした気分になり、期せずして大きく息を吸って吐いた。

「兄さん、どこへ行きますかねえ」

と政次が八百亀に問う。

「ああ、複雑に女と男がこんがらがってつながりを持つかげまの専様を落籍せたはいいが、佐兵衛は貧乏くじを引いたねえ。これじゃあ、いくら小判があっても足りますまい。お店の帳簿を誤魔化《ごまか》して七百両をちょろまかしたのも無理はねえ」

「かげまを一人囲うのは金が掛かりますか」

「わっしはかかると思うがねえ」

と八百亀が自信なさそうに答えた。そして、

「新八郎の野郎、含みを持たせた言い方をしやがったが、今も専太郎は内藤新宿の女ふたりとつながっていると見ましたぜ」

「内藤新宿に足を伸ばしますか」

「へえっ、お供します」

二人は神田川の北側の河岸道を四谷御門まで上がり、大木戸を目指した。

刻限は昼下がり、ぽかぽかとした陽射《ひざ》しが二人の頭上から射しかけていた。

「八百亀の兄さん、殺された専太郎の酒の相手だがね、箸《はし》先に紅がついていた。かげま仲間なら紅を差すかもしれない」

「あるいは昔馴染《なじ》みの女か」

「そういうことです」

「まず法是寺の大黒おかつから調べますか。大御番のお姫様は厄介だ、後回しにしましょうか」

八百亀の提案に政次は賛成した。

法是寺は内藤新宿の北側大久保村に接してある寺で、山門からなんとなく寂れた雰囲気が漂っていた。むろん寺は寺社奉行の支配下、町方が無闇《むやみ》に立ち入れる場所ではない。

どうしたものかと二人が思案していると、ちょうど墓参りを終えて出てきた様子の年寄り夫婦が山門上の階段に姿を見せた。

「墓参りですかえ、ご奇特なことですねえ」

と八百亀が階段を降りてきた老夫婦に如才なく話しかけた。

「お迎えが近いや。あの世に行ってご先祖様にお会いしたときの挨拶をしておきましたよ」

「ご隠居、まだその言葉は早うございますよ」

　と答えた八百亀が、

「寺の方々はお変わりございませんか。久しぶりに内藤新宿を通りかかったんで、挨拶に来たんだ」

「江戸の方かね」

「そんなとこだ」

　老人は二人の風体で御用聞きと察した様子で、

「御用でもないのにおまえさん方もご奇特だねえ。二年前に住職が流行《はや》り病で亡くなった後、大黒のおかつさんまでよいよいになっちまってさ、法是寺はなんぞ疫病神に祟《たた》られているようだよ」

　と答えた。

「えっ、おかつさんは寝たっきりですかえ」

「元気なうちは年の離れた住職の目を盗んで、男遊びをしていたという噂があったがねえ、寝たまんま大小便の始末をしてもらうようになっちゃあ、おしまいですよ」

　と小声で言った年寄りは、

「陽気のせいでつい、お喋《しゃべ》りが過ぎたねえ」

というと内藤新宿の方角へ歩き去った。

政次と八百亀は顔を見合わせ、

「大御番のお姫様にかかりますか」

と八百亀が言った。

大御番佐橋家の息女お桂について話が聞けたのは大木戸近く、四谷塩町三丁目の松葉だ。

昼下がり、客がいない床屋の親方に八百亀が髭《ひげ》をあたってもらいながら、話を仕掛けると、

「そんなことを聞きに大木戸までのしてきなさったか」

と苦笑いし、

「おまえ様方、どこの身内だ」

と聞いてきた。

「おれは金座裏の九代目宗五郎の手先だ。あちらにおられるのが十代目の若親分だよ」

八百亀が正直に答えた。

「なんとなく、そんなこっちゃねえかと推量をつけていたよ。金座裏に後継が出来た

というのは客の噂に聞いていたからね」

　政次が会釈をした。

「で、御用とはなんだねえ」

「湯島にかげまに出た美倉屋専太郎のことさ」

「専太郎だと、となればお桂様との話かえ」

「この界隈《かいわい》ではだれもが承知のことか」

「専太郎が湯島のかげま茶屋に売られたときには佐橋のお姫様が狂乱して一騒ぎあったからね、だれも承知していますよ。佐橋様でもお桂様をどこぞに嫁に行かせようと苦労をなさったものね。だって、あれだけ評判が立ったものをこの界隈の、どこの屋敷が若様の嫁にするえ」

「その口ぶりでは貰い手があったように聞こえるがねえ」

「宇都宮藩戸田《とだ》家のご家来と祝言が整ったのは一年も前かねえ。お姫様は泣く泣く宇都宮に都落ち、嫁に行かされたという話ですよ」

「落ち着くところに落ち着いたってわけか」

「金座裏の、法是寺の大黒のほうは承知だな」

「よいよいになったってな」

「住職が年上をいいことに派手に遊んでいたからね、天罰が下ったんだとこの界隈の連中は言っているがねえ」

これで専太郎が昔馴染みの二人の女は嫌疑から消えたことになる。

「金座裏の若親分が内藤新宿まで遠出してきたわけってなんだえ。専太郎がどうかしたかえ」

髭を剃《そ》り終わった親方が聞き、八百亀が政次を見た。

松葉には三人だけだ。

「親方、御用のことだ。べらべらと喋っていいわけもないが、親方が話を聞かせてくれたのに愛想がなさ過ぎるのもなんだ。話そう、当分、親方の胸の中に仕舞っておいてくれませんか」

「合点承知だ」

政次は今日の夕方にもこの界隈に広がるなと思いながらも、専太郎が殺されたことを告げた。すでに江戸府内では読売に書かれて承知のことだからだ。

「なんと野郎、殺されましたか。二十歳を一つ二つ過ぎた身空で殺されるとはねえ」

と嘆いた親方が、

「専太郎には兄弟はいないがさ、仲の良かった従兄弟《いとこ》がいるのを承知ですかえ」

と聞いてきた。

「従兄弟だって」

「専太郎と瓜二《うりふた》つだが、こっちはその気がねえや」

と親方が科《しな》を作った。

「なにをやっているんだ、そいつは」

と八百亀が財布から髭剃り代を出しながら聞いた。

「雑穀屋の好太郎《こうたろう》さんは真面目《まじめ》一辺倒だ。内藤新宿の太宗寺《たいそうじ》門前で石屋を営む石富《いしとみ》に勤めている。職人じゃねえや。今は手代さんだが、ゆくゆくは番頭さんに出世するのは間違いないそうだぜ」

「年は専太郎と同じですか」

政次が聞く。

「ちんころみてえに一緒に育ったが片方はかげま茶屋の売れっ子になり、片方は堅物《かたぶつ》の奉公人だ。人様々だねえ」

「真面目に働いているんだね、好太郎さんは」

八百亀が聞く。

「内藤新宿で好太郎さんのことをだれも悪くいう奴はいないぜ。石富は家作《かさく》も何軒も持っていらあ、番頭になって主に代わり、石富を切り盛りする時代が今にくるぜ」

「どうやらこっちの事件とは関《かか》わりなさそうだねえ」

と八百亀ががっかりとした顔をした。

「つい専太郎が殺されたと聞いたんで、好太郎さんのことを思い出したが、血腥《ちなまぐさ》いことには無縁だねえ」

と松葉の親方がご託宣した。

「これで若親分、振り出しに戻ったぜ」

と八百亀が松葉を出たところで政次に話しかけた。

四谷の通りに荷駄《にだ》が連なってやってきた。すると生温かい風が吹いてきて、夕立でも降り出しそうな、暗い空と変わった。

三

篠突《しのつ》く雨が降り出し、乾いた路面を叩いた。

政次と八百亀は太宗寺の山門の下で雨宿りしながら石富の店先を見ていた。

店の間口は二十間《けん》（約三六メートル）もあろうか。石屋の作業場は横手にあり、奥行きが深かった。

石富は墓石中心にした石屋を経営するとともに太宗寺に墓参りにくる檀家の者の世話をし、仏事の斎《とき》を用意し、花を売るようなことも手広くやっていた。

そんな石富の手代が好太郎だった。

職人気質の石工の親方や石工たちを上手にあしらって仕事をさせ、墓参りのおばあさんの面倒を見、この界隈の評判も上々だった。

番頭の孝右衛門《こうえもん》は石富の分家の血筋で、もはや六十を大きく越え、実際に店を仕切り、職人たちを動かしているのは手代の好太郎だった。それほど石富でも好太郎の信頼は絶大だった。

今も二人の視線の先にはせっせと店を戸締りする好太郎の姿があった。

「若親分、石富の親方が娘を好太郎の嫁にと考えるはずだぜ。よく働くし、気質もいいや」

「専太郎とは大違いか」

「全くだ」

二人は雨が降り出す前、短い時間だったが太宗寺界隈で石富の手代のことを聞いて回った。どこもが、

「好太郎さんかえ、いい若い衆だねえ。町内の祭りにも率先して下働きをなさる。そ

れに墓参りの年寄りの面倒をだれかれなくみてよ、あれほど気立てのいい若い衆はいないもの」

とか、

「石富の宇左衛門《うざえもん》さんが娘のおしげちゃんの婿にと考えておられるというが、得するのは好太郎さんじゃねえ、石富だねえ。好太郎さんが婿に入ってみねえ、石富は磐石《ばんじゃく》、倅がいないことを嘆いていたがこれで取り返すぜ」

などという噂ばかりだ。

雨が降り出し、二人は聞き込みを止めて、山門下に逃げ込んだのだ。

「若親分、相撲《すもう》部屋なんぞは倅より娘がいたほうが栄えるというが、石富もそっちの口だねえ」

「おしげに好太郎を迎えれば万々歳かねえ」

「若親分、どこか引っかかりますか」

「いや、そういうわけじゃないがね」

と政次は八百亀に答えたが、どことなく釈然としなかった。

いや、好太郎が怪しいというのではない。

幼い頃から専太郎と好太郎が兄弟以上に仲良く過ごしてきたという一事に引っかか

りを感じていただけだ。

性癖も気性も考えも違う者同士がうまくいくとかいかないのではということではなかった。時に似た者同士より互いの考えが正反対な人間同士が仲良くやれる場合もあろう。そんなことを政次は考えながらも、なんとなく釈然としないのだ。

政次は好太郎がふと見せた眼差《まなざ》しが気になった。

それはどしゃぶりの雨に向けた好太郎の眼だ。

太宗寺の山門下と石富は十数間の距離があった。その間を雨煙が遮っているのだ。

それでも政次は好太郎が一瞬見せた、

「暗く沈んだ眼差し」

が気になった。だれを見ていたわけでもない、なにか遠くを窺《うかが》うような眼だった。

前途洋洋と行く手が開けているはずの若い好太郎が見せたのは絶望の色合いだった。

「好太郎、店は終わったの」

という若い女の声がして、石富の広い店先の上がり框《がまち》におしげらしい娘が立った。

十八くらいか。遠目にはそう美貌の持ち主とも思えなかったが、気立ての良さそうな感じが声音に表れていた。

「お嬢さん」

好太郎の五体から直ぐに暗さが消えた。

「お嬢さん、なんぞ御用でございますか」

と応じる好太郎におしげがなにかを言いかけ、二人の男女が明るく笑い合った。

おしげの笑いは天性の明るさが漂い、好太郎のそれには装われたような明るさが政次には見えた。

「もう直ぐ夕餉よ」

「若親分、雨が小降りになったようだ、金座裏に帰りますかえ」

「そうするか」

と二人は山門を出ると小降りの中、太宗寺門前を後にした。

政次と八百亀が金座裏に戻ったのは五つ（午後八時）過ぎのことだ。

「若親分、八百亀の兄い、お帰りなさい」

と若い手先の波太郎《なみたろう》が迎えた。

奥からざわついた興奮の気配が伝わってきた。

「ただ今帰ったぜ」

と答えた八百亀が奥を顎《あご》で指し、

「なんぞあったか」

と聞いた。

「寺坂《てらさか》の旦那も見えてます。光蔵が見付かったんですよ」

「ほう、お縄にしたか、そいつは手柄だったな」

と八百亀がちょっぴり残念そうな口調で応じた。

「八百亀の兄い、そいつが光蔵も品川宿の妓楼《ぎろう》から落籍せた女のおいねも死んでおりましたんで。もう何日も経《た》っていて、仏の始末をするのが大変でしたよ。ようやく検視が終わり、一息ついたところだ」

政次と八百亀は急いで懐の手拭《てぬぐい》で濡《ぬ》れた足を拭うと、土間から広い玄関に上がり、奥に通った。

常丸らは台所で夕餉の最中らしく、どことなく重苦しいような気配が伝わってきた。

居間では宗五郎と寺坂が、いま一つはっきりしない顔で酒を飲んでいた。

「寺坂様、ご苦労にございます」

と寺坂毅《き》一郎《いちろう》に会釈した政次は義父に、

「親分、ただ今戻りましてございます」

と挨拶した。

二人の肩が濡れているのを見た宗五郎が、

「雨に降られたか、ご苦労だったな」

と労《ねぎら》った。

「親分、波太郎に聞いたが、光蔵と女が死んで見付かったって」

「そのことよ」

八百亀の問いに宗五郎が答え、

「最前、始末をつけたところだ。光蔵の知恵かねえ、川向こうの本所にひっそりと小《こ》体《てい》な家を構えていやがった。おいねの親戚《しんせき》筋からようやく辿《たど》りついたと思ったら、うじの湧《わ》いた骸《むくろ》が二つ転がっていたというわけだ」

「そいつはご苦労でしたねえ」

と答えた八百亀が聞いた。

「逃げられねえと思って、二人で心中を企てたか」

「八百亀、そう思うか」

「違うので」

宗五郎の視線が顔を上げた政次を見た。

「二人は佐兵衛や専太郎と同じく刃物で一突きされて殺されておりましたか」

宗五郎が頷いた。

「ひえっ、なんてこった」

と八百亀が驚きの声を発し、首を傾《かし》げた。

「殺されて数日は経っていよう。この暑さだ、二人とも腐乱死体で見付かりやがった」

「佐兵衛、専太郎、光蔵、おいねと行く先々で仏が転がってますね」

「そういうことだ、政次」

一座は重い沈黙に包まれた。

おみつが盃を持ってきて、二人に熱燗《あつかん》の酒を注《つ》いでくれた。

「仏様を二つ始末したんでさ、穢《けが》れ落としに酒を飲んでいるところだよ。亮吉たちも台所で酒ばかり飲んで、めしは喉を通らない様子さ」

「姐《ねえ》さん、この暑さだ。若い連中がめしも喉を通らねえのも致し方なかろう」

八百亀が光蔵とおいねの死体の具合を想像して顔を歪《ゆが》めた。

「おれも永年御用聞きをやってきたが、あれほどひでえ仏は久しぶりだぜ」

という親分に政次と八百亀が頷き、手にした盃の酒を飲んだ。

「政次、八百亀、湯島のかげま茶屋で手間取ったな」

と宗五郎が聞いたところに台所からぞろぞろと常丸や亮吉たちが銘々盃や徳利を手に姿を見せた。

「お上さん、悪いがめしを残した」

亮吉の顔は青かった。

「ご苦労だったな」

政次が労いの言葉をかけ、常丸が、

「若親分と八百亀の兄いは、どっち方面だったえ」

と聞いた。

政次は手際よくかげま茶屋菊水で主とまわし男から聞き込んだ話を報告した。

「なんだって、専様の客の一人は御側御用人金森出雲守様ってか、厄介だぜ」

まず最初に寺坂毅一郎が驚愕《きょうがく》の声を上げた。

それはそうだろう、将軍家の御側に仕える御用人は時に老中よりも力を持っていた。

町奉行など屁《へ》とも思わないのが御側御用人だ。

「寺坂様、私の勘では金森様は一度か二度の付き合いはございましょうが、馴染みとも思えません。こちらの筋を探るのは最後の最後でよいかと思います」

「そうか、そうだろうな」

と寺坂が自分を納得させるように言う。

「専太郎が男と女の両刀遣いと聞いて、内藤新宿に行ってきました。だが、専太郎がかげまになる前から馴染みだった女、大御番佐橋様の息女お桂様は宇都宮に嫁に行かされ、法是寺の大黒おかつは床に伏せったままの病人で、どちらもただ今の専太郎と付き合いは消えておりました」

「そうか、女の線は消えたか」

「親分、手ぶらで帰るのもなんだ。専太郎の従兄弟というのを追っかけてみたが、無理しては駄目だねえ。こっちはまるっきりの空振りだ」

と八百亀が好太郎のことを報告した。

「それで太宗寺の門前で雨に降り籠《こ》められたか」

と答えた宗五郎が、

「これで疑いのかかった人物は、すべて消えたな」

「消えましたな」

と八百亀が応じた。

「明日っからどうします」

亮吉が言う。

「親分、光蔵とおいねはだれにどうして殺されたのでございますか」

政次が呟くように聞く。

「家捜ししたら、主家の丸籐から光蔵がくすねたと思える百三十数両の小判が出てきた。此度の一連の殺しは金子目当てではないぜ」

「佐兵衛、専太郎、光蔵、おいねが、だれぞの秘密を承知していて口を封じられたかな」

という亮吉の言葉に、

「まさか御側御用人金森様の線ではあるまいな」

と再び寺坂がそのことを危惧《きぐ》した。

「寺坂様、此度の事件、武家の仕業とは思いませんや」

「そうだとよいがのう」

寺坂はそれでもそのことを案じる言葉を吐いた。

「親分、どうして死体が腐敗するほど光蔵とおいねは、見つからなかったんです」

政次が聞いた。

「二人して馴染みのない本所に家を構えて界隈に知り合いがない、光蔵は最悪の場合の隠れ家に借り受けたんだ。だれにも教えてないから、だれも訪ねてもこねえ。元々妾宅《しょうたく》として作られた家は板塀に囲まれ、敷地はそこそこにあってな、死体が腐った臭《にお》いにも気付かない」

「となると、二人は未《ま》だ死体が発見されてなくてもおかしくございませんね」

「どういうことだ、政次」

「佐兵衛、光蔵と腹黒い連中はみんな殺された。だが、一連の殺しの理由がどうしても浮かんでこない」

「政次、御側御用人の名を持ちださないでくれよ」

と寺坂が願った。

苦笑いした政次が、

「傷はどれも一突きですね」

「思い切った野郎で二度は刺してねえ」

宗五郎に言われるまでもなく佐兵衛、専太郎の傷がそうだった。今度の光蔵とおいねの傷もそんな一刺しだという。

「下手人は自信満々ですが、人間二人を刺し殺すんだ。致命傷には至らず生き残ることもあるかもしれない」

「政次、なにを考えている」

「おいねが瀕死《ひんし》でだれかに見付かり、生きていたとしたらどうなります」

「下手人はおちおちしていられまいな」

「おいねがもし下手人を承知しているのなら、お上に申し上げるか。あるいは下手人に生きていることを知らせて、恨みを言うなり、なんぞ脅すかもしれませんね」

「政次、おまえの頭にある下手人たあ、だれだ」

「へえっ、なんの根拠があるわけでもないんです。だが、気になる人物が一人だけいるんです」

「専太郎の従兄弟の好太郎か」

「はい」

と政次は返答して、しばらく自分の考えを確かめるように瞑目《めいもく》した。目を見開いた政次は覚悟を決めたように話し出した。

「親分、好太郎が見せた眼差しなんです」

「眼差しだと」

亮吉が素《す》っ頓狂《とんきよう》な声を上げた。だが、他のだれもが黙って、政次の次の言葉を待っていた。

亮吉も慌てて口を噤《つぐ》んだ。

「好太郎は十五歳で石富に奉公して、六年で手代に上がった。石富の一人娘おしげの婿にと周りは考え、好太郎もまんざらでもない様子。石富は内藤新宿でも名代の分限《ぶげん》者《しゃ》です、本業の石屋も順調なら、家作も何軒も持っている。実家の雑穀屋の商いなどとは比較にもならないくらい内所が豊かでございましょう。愛らしいおしげと所帯を持てば、石富の商い家財が手に入る、幸せを絵に描いたような境遇のはずです。だが、好太郎が雨降りに向かって見せた眼差しは、絶望に塗《まみ》れたように暗く沈んでおりました。親分、私が好太郎に抱いた疑いはたったそれだけなんです」

宗五郎が小さく頷き、煙管を手にした。だが、その煙管に刻みを詰めるではなし、無意識の裡《うち》に弄《もてあそ》んでいたが、

「寺坂様」

と昵懇《じっこん》の定廻《じょうまわ》り同心の名を呼んだ。頷いた寺坂が、

「政次、われら、町方役人やら御用聞きとは因果な商売だ。素人衆から見ればなんの非の打ち所もない人間を疑う商売だ。だが、わっしらから言わせれば人を疑うときには説明がつかない、なにか勘みていないなものが働いての末だ。政次が見た好太郎の眼差しだがな、ただ、夕暮れに降る雨を見て陰鬱《いんうつ》になった結果かもしれねえ、あるいは腹が渋っていたかもしれねえ」

「はい」

「だが、好太郎の眼差しの暗さを覗き込んだ政次には、おれたちには分からない、おまえにしか察しがつかない勘が働いてのことだ。そいつはな、おれたちには大事なお告げなんだよ」

「政次、寺坂様もこう仰っておられる。おれはすでにこの事件、おまえに預けたと申し渡したはずだ。好きなように手配りしてみねえ」

「有難うございます」

「だが、政次、勘というのは気紛《きまぐ》れだ。時に間違いを起こすこともあらあ、そいつを考えに入れていなきゃあならねえぜ。好太郎はただ今大きな運を引き当てようとしているのだ。それをおめえの勘違いで、お釈迦《しゃか》にしてはならねえ」

「寺坂様、そのお言葉肝に銘じて動きます」

「ならばおれも金座裏も陰から応援するぜ」

と寺坂毅一郎が言い切った。

「若親分、どう動くんです」

と亮吉が聞く。

「最前言いかけたがおいねが未だ生き残ったとして、好太郎に文を出したら好太郎はどう動くかねえ」

「野郎が下手人なら、もう一度殺しを繰り返すぜ」

「そういうことだ」

と政次が言い切った。

四

内藤新宿にある太宗寺は宿名にもなった信濃《しなの》高遠《たかとお》内藤氏と縁が深い寺だ。また、徳川家康の関東入部に伴い、内藤清成《きよなり》が四谷屋敷を拝領した頃、すでに太宗という僧侶が小さな庵《いおり》を構えていたゆえ、寺名が付いたという。

霞関山《かかんざん》と号し、本尊は阿弥陀如来《あみだにょらい》である。

清成の子、内藤家四代正勝《まさかつ》がここに葬られ、五代重頼《しげより》が境内七三九六坪を寄進して寺の体裁が整えられた。

内藤家代々の菩提寺《ぼだいじ》ゆえに寺格も高い。

金座裏の若親分政次は八百亀、常丸、亮吉、波太郎の四人を引き連れて、この太宗寺門前に戻ってきた。

内藤新宿下町裏のひっそりとした旅籠《はたご》に拠点をおいて、好太郎の身元と行動を洗い直す作業から探索を再開した。

その結果、新たに判明したことがあった。

内藤新宿の追分裏にあった好太郎の実家の雑穀屋は親父の博奕狂《ばくち》いが高じて、好太郎が十一歳になった頃に人手に渡り、その後、お店は消滅していた。

雑穀屋とは粟《あわ》、稗《ひえ》、黍《きび》、蕎麦《そば》などの雑穀を扱う店で豆類や、所によっては鶏卵などを売ることもあった。

江戸の初期、人々の暮らしが貧しかった頃、米に雑穀を混ぜて量を増やしていた名残の商いだ。口がおごり、豊かになった頃には流行らない商いであった。

好太郎の実家も雑穀屋と呼ばれていたが、それは屋号のようなもので、青梅《おうめ》街道と甲州道中に分岐する追分裏で荷馬の餌《えさ》などを商う細々とした商売だったという。

この雑穀屋が潰れた後、好太郎の家族はちりぢりになった。

好太郎は専太郎の実家の煙草屋に貰われていき、専太郎と同じ屋根の下で奉公に出る前の数年を暮らしたことがあった。

専太郎の実家の煙草屋の美倉屋も決して大きな商売ではなかった。駕籠《かご》かき、馬方《うまかた》相手の小商売で売り掛けが多く、暮らすのが精一杯の商いだったそうな。

専太郎と好太郎が美倉屋を出て、それぞれの奉公の道を歩き始めた後、潰れていた。

専太郎と好太郎が一緒に暮らしていたのは三、四年余りということになる。二人は内藤新宿のあちらこちらのお店に顔を出し、

「番頭さん、手伝いをさせてくれないか」

「使い走りはないか」

と頼み込んでは、お店の荷運びや使い走りや台所の水汲《みずく》みをして小銭を稼いでいたという。

政次らが内藤新宿に拠点を構えたその夜、五人が顔を合わせて探索の結果を報告し合った。

政次は八百亀と組み、もっぱら太宗寺門前の石富の店を見張り、常丸と亮吉、波太郎の三人がもっぱら好太郎らの奉公前の行動を探っていた。

「若親分、専太郎と佐橋お桂や法是寺の大黒のおかつとの橋渡しをしたのは好太郎というぜ。この二人は組んで、水汲みなんぞをしていたのは僅《わず》かの間だ。楽に小遣いを稼ぐ道を考え出したようだねえ」

「実家が両方とも潰れている。銭に苦労した餓鬼が二人いれば、知恵を出し合い、楽に金を稼ぐ道を考え出すのは成り行きだ」

と八百亀が言う。

「八百亀の兄い、確かにおれも裏長屋住まいの大人数の貧乏たれの職人の家に育ち、小遣いには苦労したさ。だが、生まれついての美形の持ち主とはいえ、餓鬼の考えとはいえないぜ。専太郎も好太郎も内藤新宿じゃあちょいと知られた稚児《ちご》だったようだぜ」

「ほう、やるな。好太郎のほうも専太郎ばりに女の玩具《おもちゃ》になっていたか」

「仰《おっしゃ》るとおりだ、兄い」

と常丸が疲れた顔で頷き、

「二人を慰みものにして小遣いを稼ぐことを手解《てほど》きしたのは内藤新宿の飯盛《めしも》り女だそうだ」

「嫌な客の口直しか」

「そんなところだろうぜ」

と常丸が答え、腰の煙草入れを抜いて刻みを詰めながら話を進めた。

「若親分、専太郎は江戸で一端《いっぱし》のかげまとして名を挙げ、丸籐の番頭佐兵衛に落籍されて家一軒を構えるほどに出世した。好太郎は内藤新宿に残り、石富に奉公して手代からあわよくば、石富の身代を手中にするところまで辿り着いた。二人は全く別々の道を歩いてきたがねえ、大人になる前の内藤新宿の時代はどっちもどっちのませた悪餓鬼だ。専太郎を操っていたのはひょっとしたら好太郎とも思える節も見えないではない」

「常丸、子供時分にはだれも一つや二つ、知られたくない悪さの覚えはあるさ」

　政次が口を挟み、

「若親分にもあるかえ」

　常丸が反問して、政次が苦笑いした。

「ないとはいえないさ」

「そいつを亮吉は承知かえ」

「亮吉や彦四郎《ひこしろう》が承知のこともあるが、知らないこともあるさ」

「そいつがさ、金座裏に養子に入るにあたって邪魔になるということはねえか」

「亮吉や彦四郎に知られている悪さがか、さてそいつはどうだかねえ。考えもしなかった」

「常丸兄い、おれっちが餓鬼の時分やった悪さなんて、たかが知れていらあ。政次若親分にしても彦四郎にしても可愛《かわい》い悪戯《いたずら》よ。人を殺してまで消したい記憶なんてねえぜ」

　と亮吉が言った。

「それが普通の餓鬼だ、亮吉」

と常丸が言い切った。

「常丸、亮吉、好太郎には専太郎と一緒に暮らした時代に消さねばならない悪さがあるというわけか。石富のおしげさんと所帯を持ち、石富の旦那になるために支障になるようなさ」

「八百亀の兄い、正直、おれたちはそいつをまだ摑《つか》んでねえ。だが、好太郎と専太郎の過去を探っていくと、幼い二人が自分たちの美形をいいことに大人以上に悪だったことが、もやっとだが分かった」

「常丸は今度の事件の元凶と狙《ねら》いは専太郎を消すことだったと言うんだね」

と政次が聞いた。

「若親分もそう考えたからこそ、内藤新宿に拘《こだわ》られたんじゃないかえ」

常丸に再び反論された政次が苦笑いした。

「常丸、私もあいつの眼を見たときからそのもやっとした疑いが浮かんだんだ。佐兵衛の掛取りの金子を狙ったり、光蔵とおいねの二人を殺して、丸籐のお店の金子を誤魔化していた同士の殺し合いに見せかけたりしているが、ほんとの狙いは別のところにあるんじゃないかとね」

「おれは金座裏で若親分の推量を聞いて、まさかと思ったさ。だが、内藤新宿にきて、専太郎と好太郎がまだ大人になりきってねえ体を武器に海千山千の女郎や年増女から金を巻き上げた事実を知って、若親分の考えに宗旨替えしたぜ」

と常丸は刻みをいったん詰めた煙管の火口を無意識のうちに指先でいじり、煙草盆の上に火を点《つ》けてもいない刻みを灰皿に零《こぼ》した。そして、

「若親分、八百亀、好太郎は昔の自分の痕跡《こんせき》を消したがっている」

と断定した。

「己の悪行を一番知る人物は専太郎だもんな」

「八百亀の兄い、だから、奴は専太郎を殺したんだ。神田久右衛門町《きゅうえもんちょう》の佐兵衛と専太郎の隠れ家で専太郎と差し向かいで酒を飲んでいた人物は、好太郎と考えて間違いねえぜ。女かかげまかが相手のように見せかけ、箸先に紅をわざと残していった小細工も好太郎らしいや」

と常丸が言い切った。

政次の視線がいつもと違い、黙り込む亮吉に行った。

亮吉が重い口を開いた。

「好太郎の昔を調べれば調べるほど、嫌な感じが体の中に積もっていくんだ、若親分。

餓鬼の時分、だれにでも悪さの一つや二つあると最前言いなさったねえ、ご存じのとおり、おれなんぞは数え切れないほどだ。だが、その大半を当人のおれが忘れている程度の悪戯だ。あいつらのは違う。内藤新宿でよくもばれなかったと思うがさ、ここは甲州道中一の宿だ。野郎どもが悪さを仕掛ける相手は、旅人か立場の弱い飯盛りか、稚児遊びしたい年増女、だれも気付いたとしてももう旅の途中で訴える時間はない、また身に弱みを持っている。そいつを二人は巧みに利用してきたんだ」

政次は亮吉の考えに首肯した。

「常丸、亮吉、私が直感した好太郎がかたちになりつつある。だが、奴が専太郎を殺すと覚悟するには、なにか大きなことが欠けていると思わないか」

「仰るとおりだ」

と常丸が頷き、亮吉が、

「若親分、明日の探索で探りだせるかどうか。常丸兄いと道々話し合ったがな、好太郎が専太郎の口封じをしたとするならば、この秘密、好太郎だけが知るものだぜ」

と亮吉が政次の顔を見て言い切った。

その眼には、

「おれたちが体験した寛政元年の水遊びのようにな」

と書いてあった。

「好太郎をとっ捕まえて白状させるしかないというのだね」

「そういうことだ」

政次は最後に八百亀を見た。

「若親分、もう一日だけ汗を掻《か》きませんか。好太郎が此度の事件の張本人とおれも思っておりますのさ。だがな、万が一ということもある。こいつがこっちの考え違いだったら、野郎がふくらませてきた夢が無残に砕け散ることになろうじゃないか。専太郎を殺さないまでも餓鬼の頃の行状が表に出たら、石富も二の足を踏もうじゃないか。婿どころか奉公先を追い出されるぜ」

「八百亀の兄さんの言うとおりだ。明日は私たちも加わり、専太郎と好太郎の十年前を探りましょうか」

「へえっ」

と五人の意見が一致した。

翌日の夕暮れ、五人は旅籠の一室に雁首《がんくび》を揃えた。

政次が別行動の常丸を見た。常丸が、

「ゆんべの話に付け加えることはねえや」

と答え、亮吉も口を揃えた。

「若親分、おれの考えも一緒だ。ますます専太郎殺し、いや、佐兵衛、光蔵、おいね殺しは好太郎の仕業だ」

「亮吉、念のために聞く。好太郎はだれから丸籐の内情を聞き知ったね」

「当然、兄弟同然に育った専太郎からですよ。この専太郎には閨《ねや》を共にする佐兵衛が喋くり、頭の切れる好太郎がこの丸籐の番頭二人が相争う事件に装い仕立て上げた」

その答えに政次が八百亀を見た。すると老練な手先の八百亀が、

「二人がなにか共通の秘密を持っていることは確かだ。だが、こいつばかりは好太郎の口からしか知ることはできまい」

と答えた。

「亮吉、ならば手筈《てはず》どおりにおいねの文を好太郎に届けるか」

文は、しほが品川の女郎時代のおいねの文と字を参考にして苦心して書き上げたものだ。

亮吉が合点だというと文を手に旅籠から出ていき、残った四人も太宗寺門前へと移動した。

四半刻後、太宗寺門前の石富の店先に文を手にした子供が立ち、

「手代の好太郎さんっておまえか」

と聞いた。

「ああ、私ですけど」

「手紙だよ」

子供は好太郎の手に文を押し付けると、さあっと表通りへと走り戻った。

好太郎はなにか考える面持ちで子供の背を見ていたが、手の文に視線を落とし、ゆっくりと封を披《ひら》いた。読み進む好太郎の顔色が変わるのが山門下の暗がりでも確かめられた。何度か文を繰り返して読むと、なにか決心した様子で奥へと消えた。

石富の表戸が閉じられ、夜が静かに更けていった。

夜半九つ前、石富の作業場の闇が揺らぎ、好太郎が姿を見せると懐から用意した手拭で頰被《ほおかぶ》りをした。懐に片手を入れてなにかを確かめた好太郎はいきなり走り出した。

政次と亮吉の二人は間をおいて追跡を始めた。

八百亀と常丸は好太郎に文が渡った直後に金座裏へと戻り、最後の仕度に取り掛かっていた。

内藤新宿から四谷御門を避けて御堀端を左回りに赤坂溜池《ためいけ》に下り、東海道の芝口橋下の船着場で猪牙《ちょき》を見つけた好太郎は、近くの船宿の軒下に保管されてあった竿《さお》と櫓《ろ》を慣れた様子で探すと舟に戻った。

好太郎は光蔵とおいねを殺す折も水上を舟で行き、妾宅に姿を現したのだろう。

「若親分、どうするね」

「行き先は知れている、走ろう」

「合点だ」

政次と亮吉は着物の裾《すそ》を絡げて夜の八百八町を走り出した。大川を永代橋《えいたいばし》で渡り、左岸を南本所石原町の光蔵とおいねの妾宅までなんとか辿り着いた。

妾宅の前の堀を眺めたが、好太郎の猪牙は着いている風はなかった。

「若親分」

と八百亀の潜み声がして、常丸ら金座裏の手先たちが姿を見せた。

その中に丸籐の手代参吉の緊張した姿があった。

「参吉さん、ご苦労だねえ。野郎はおっつけ舟で来るぜ」

と政次が参吉を労い、報告した。

「よし手配どおりだ」

再び光蔵とおいねの妾宅の周りから人影が消えた。

それから間もなくして櫓の音が響き、猪牙が光蔵とおいねの妾宅前に横付けされた。

着流しに頬被りした好太郎は、辺りを窺っていたが身軽に石垣をよじ登り、妾宅の戸口に立った。格子戸に手をかけると錠が下りてないのか、
するり
と開いた。

好太郎は心得顔に文で指示されたとおりに玄関へ向かった。

政次の傍らで参吉が囁《ささや》いた。

「あいつですよ。番頭さんを刺し殺したのは、あの男で間違いございません」

「助かったぜ」

政次が参吉の肩をぽーんと叩《たた》くと、

「今、番頭さん方の仇を討ってやるぜ」

と妾宅へ忍び込んでいった。

妾宅の寝間では有明行灯《ありあけあんどん》が点《とも》り、刺し傷を消毒した薬の匂《にお》いが漂っていた。

「おいねさん」

廊下から好太郎の声が響いた。

「厚かましくも来たのかえ」

寝間からくぐもった、弱々しい声が応じた。

「おまえさんが望みの二百両、持参しましたよ」

「命の値段、二百両じゃあ、安いよ」

廊下の好太郎が小首を傾げた。

「先夜のおいねとは声が違うよ」

「あれだけの傷を負わされたんだよ、声くらい違うよ」

迷った好太郎が懐に片手を突っ込み、障子に手をかけると一息に開けた。

床に後ろ向きになって座る女の背が見えた。

「やっぱり来たんですね」

女が好太郎を振り向いた。有明行灯に浮かぶ顔は別の顔だった。

あっ
と驚きの声が好太郎の口から洩れ、しほが哀しげな表情で見た。

「おまえはだれです」

廊下に人の気配がして、好太郎は慌てて振り向いた。

八百亀や常丸が十手を片手に立っていた。

「好太郎、年貢の納め時だ」

「そんな」

頬被りした好太郎が懐から片手を抜くと匕首《あいくち》が煌《きらめ》いた。

しほへ突進して首筋に匕首を突きつけようとする鼻先に次の間の障子が開かれ、銀のなえしを翳《かざ》した政次が険しい顔で立ち塞《ふさ》がった。

「金座裏の十代目、政次の出張りだ。観念しねえ、好太郎」

「観念しねえだなんて、石富の身代はおれが継ぐんだ！」

そう叫びながら、好太郎が政次に突きかかってきた。

だが、赤坂田町の神谷丈右衛門道場で五指に入る政次の腕には敵《かな》うはずもない。肩口を銀のなえしで激しく叩かれ、その場に転がった。

その背に常丸や亮吉たちが覆い被さっていった。


次の日の夕暮れ、鎌倉河岸の豊島屋では大旦那の清蔵《せいぞう》が落ち着かない素振りで政次たちの到来を待っていた。

「遅いねえ、こっちの気持ちになるがいいや」

「旦那、政次さんたちだって昨日の今日だ。お調べにはまだかかりますよ」

と小僧の庄太《しょうた》に注意を受けた。

「庄太、調べったって下手人が捕まったんですよ。墓石屋の手代というじゃないか、大番屋に連れていかれればべらべら自分から喋りますよ」

「だってその手代さん、もう四人も人を殺しているんですよ。喋れば獄門打ち首間違いなしだ、命を助かりたいと必死ですって」

「そうかねえ」

殺されたおいねの代役を見事果たしたしほも、

「旦那、好太郎の奉公先の石富は太宗寺に深い縁があり、その関わりで信濃高遠藩内藤家とも繋《つな》がっています。そう簡単に調べが終わるとも思えません」

と口を添えた。

「しほ、いつなら話が聞けるんですね」

「私が思うには、あと数日かかるんじゃないかしら」

「なんてこった」

どさり

と清蔵が空樽《あきだる》を利用した椅子《いす》に腰を落とした。それでも諦《あきら》めきれないか、

「来ないかねえ、今晩」

と呟いた。

専太郎と好太郎、二人の太郎も政次や亮吉や彦四郎ら三人と同じ年齢だった。その二人が殺し、殺された事件を政次がわが身に照らし合わせて、衝撃を受けているようだと、しほは感じ取っていた。

裁きが一段落ついても、政次が自分の心持を整理するのに時がかかるような気がしていた。

「旦那、来ませんよ」

しほの声が清蔵の耳に非情にも届いた。

第三話　喉の棘

一

翌日も翌々日も金座裏《きんざうら》の連中は姿を見せなかった。彦四郎《ひこしろう》だけが豊島屋《としまや》を訪れると清蔵《せいぞう》に、

「なんだ、彦四郎だけかえ。金座裏の若親分やどぶ鼠《ねずみ》はどうした」

と聞かれて、

「一人で来ちゃいけないみたいだな」

とぼやいたものだ。

内藤新宿で双子の兄弟のように育った二太郎の起こした事件は、読売も材料がないのか、江戸府内の騒ぎでないから書いても売れないと判断したか、伝えない。それが清蔵の気持ちをさらに苛立《いらだ》たせていた。

さらに数日が過ぎて、その夕暮れも彦四郎だけだった。

清蔵がいつもの席でむっつりとした顔で迎え、溜息《ためいき》を吐いたがなにも言わなかった。

「旦那《だんな》、もの言う元気もなくなったか」

「まあ、そんなとこです」

と答えたのは小僧の庄太《しょうた》だ。

庄太は近頃急に背丈が二寸（約六センチメートル）ばかり伸びて、前掛けも引き摺《ず》らなくてよくなっていた。それでも六尺（約一八〇センチメートル）を大きく越えた彦四郎とでは大人と子供の差があった。

「彦四郎さん、今日はどちらまで仕事でした」

と庄太が見上げた。

「この暑さだ、日中は客足が絶えていた。夕方前に川向こうに戻る船問屋の旦那を横川のお店まで送っていったところよ。日が落ちて涼しくなったから吉原に行く客が姿を見せる時分で、稼ぎ時だがよ、清蔵さんの機嫌が気になって、顔を覗《のぞ》かせたんだ」

「それはすいませんね、旦那はますますいけません。もうお迎えがくるのも間近かと思います」

庄太が臨終の床に就いた病人の加減を伝えるような言葉を吐き、

「早く成仏なさるといいがねえ」

と彦四郎が応じたが当人は、

じろり
と元気をつけようという二人の掛け合いを見ただけで、それ以上の反応はなかった。

兄弟駕籠《かご》の繁三《しげぞう》と梅吉《うめきち》が入ってきて、

「おや、旦那は今日もだんまりかえ」

と目の前を行ったり来たりしたが、

「糞《くそ》にたかる蠅《はえ》みたいに五月蠅《うるさ》いよ」

と一蹴《いっしゅう》されただけだった。

彦四郎が、

「やっぱり駄目だぜ。おれは仕事に戻るぜ」

と言ったとき、鎌倉河岸《かまくらがし》から夕風が吹き込んできた。

暖簾《のれん》が分けられ、亮吉《りょうきち》を先頭に政次《せいじ》若親分、常丸《つねまる》ら金座裏の若手六人ばかりが姿を見せた。

「おっ、来ましたな。真打を真中に、どぶ鼠が姿を見せましたよ」

と急に元気になった清蔵が、

「しほ、庄太、席を作ってあげな。こんなに暑いときは冷酒より却《かえ》って熱燗《あつかん》が喉越《のどご》しに気持ちがいいものですよ」

などと言いながら、自らも金座裏の一行のために座を作った。

「遅かったねえ。騒ぎが終わり、下手人が捕まったと聞いてから一年も二年も過ぎ去ったようですよ」

と大袈裟《おおげさ》なことを言った清蔵がなぜか疲れ切って黙り込む様子の一行に、

「いやはやご苦労でした。御用にもいろいろでな、亮吉のような者が仕出かした騒ぎならお上の威光に恐れいって直《す》ぐにも喋《しゃべ》くりましょう。だが、ときに裏付けに時間がかかることがある。それは致し方ございませんよ」

と労《ねぎら》いながら、

「むじな亭亮吉師匠、くいっとうちの自慢の酒を飲みなされ。喉を潤してな、いつもの調子で一席語りなされ、大勢の客が楽しみにしてますすよ」

と客を引き合いに出して催促した。

「旦那、しほちゃんから酌はして貰《もら》うし、酒は飲む。だが、今宵は講釈はなしだ」

「そんな非情な話がありますか。もしそれがほんとなら、しほ、庄太、運んできた酒を台所のお燗番に戻しなされ」

と本気で言った。

「旦那、脅したところで講釈はなしだ」

「なぜですね。ははあっ、此度《こたび》の事件、外に洩《も》らすでないぞとか、お奉行所から命じられたね」

「そんなんじゃねえや」

「ならばどうした」

「話したくないだけよ」

「普段大威張りで一席ぶつ亮吉の様子がおかしいね、この暑さで病にかかったか、それとも夏風邪《かぜ》を引きなさったか」

と清蔵が訝《いぶか》しい顔をした。すると庄太が、

「旦那、しほちゃんの観測が当たったんですよ。亮吉さんだって、口にしたくないこともありますよ。こんなときは黙って酒を飲ますのが酒屋の主《あるじ》の弁《わきま》えた態度です」

と小僧に窘《たしな》められた。

「何日も待たされた挙句がこの様ですか。わたしゃ、急に気分が悪くなりましたよ」

と清蔵が機嫌を悪くした。

「清蔵様、心配かけました」

と政次が固い笑みを疲れた顔に浮かべて口を開いた。

「政次さん、御用のことです。話せないこと、話したくないことを喋らなくていいのよ。旦那だって分かってらっしゃるんだから」

「しほちゃん、気を遣ってくれて有難うよ」

と答えた政次が、

「此度の騒ぎは亮吉の講釈には不向きなんですよ。なんだか知れば知るほど暗く哀《かな》しく沈む話なんですよ。清蔵様、私が簡単に話すから、それで勘弁して下さいな」

「若親分、そんな気を遣いなさるな」

と言いながらも清蔵が機嫌を直して身構えた。

「内藤新宿の煙草屋《タバコや》と雑穀屋の倅《せがれ》に生まれた専太郎《せんたろう》と好太郎《こうたろう》、おっ母さん同士が一つ違いの姉妹でした。おっ母さんの美貌《びぼう》を継いだせいか、内藤新宿では専太郎と好太郎の二太郎の好一対の美しさは評判でしてね、娘など二人に見詰められるとぽおっと身動きがとれないなんて話は枚挙にいとまがございません。好太郎の雑穀屋が潰《つぶ》れ、好太郎のおっ母さんは八王子の飯盛りに売られ、当人だけが専太郎の実家の煙草屋美倉屋に引き取られて、二人は双子の兄弟のように数年を同じ屋根の下に過ごす運命が巡ってきたんです、ここから二人の悲劇は始まったのかもしれません」

と一旦《いったん》話を切った。

しほが温《ぬる》めの酒を政次に手渡す。

「しほちゃん、有難う」

と答えた政次が一口飲み、話を再開した。

「専太郎と好太郎のどちらから、自分たちの持って生まれた美形を武器に世間を渡ろうかと言い出したか、それとも阿吽《あうん》の呼吸で二人の息が合って始めたか、一人は死んでしまってその真相は半分しか分かりません。年増《としま》女を誑《たぶら》かして金子《きんす》を貢がせ、内藤新宿を通りかかる旅人の遊び心を擽《くすぐ》って、小遣い銭稼ぎをしていたころはまだ可愛《かわい》かった。美倉屋が潰れ、二人が奉公に出るころには一端《いっぱし》の悪党になっていたんです。だが、二人の神々しいまでの美貌に騙《だま》されて、それほどとは思わなかった。専太郎が湯島のかげま茶屋に身を落としたのは自ら望んだことでした。また好太郎が内藤新宿に残り、手堅い商いの石富で奉公をしたい、そこで立ち直りたいと考えたのも自ら望んだことでした。専太郎はかげまとして、その道の客の評判を呼び、売れっ子になった。そして、丸籐の番頭に落籍《ひか》されて、家一軒を神田に構えさせてもらうまでになっていた。一方、好太郎も石富で真面目《まじめ》に働き、お店と客の間の評判もいい。とくに太宗寺の若い僧侶《そうりょ》の間では、好太郎の評判は絶大だった。そんなわけで好太郎は手代に昇進し、ゆくゆくは石富の娘のおしげと所帯を持って、石富を継ぐという内輪の話も密《ひそ》かに持ち上がり、今じゃあ公然のことになっていた」

政次が茶碗《ちゃわん》酒をまた嘗《な》めた。

「二人の太郎が殺しなんぞをしなきゃあならない動機や切っ掛けはないように思えるがねえ」

と清蔵が遠慮げに呟《つぶや》く。

「それがあったのさ、旦那」

と亮吉が言った。

「専太郎、好太郎の二人が奉公に出る半年も前、寛政六年の梅雨時分、内藤新宿の旅《は》籠《た》《ご》に信州松本城下の御用商人信濃屋《しなのや》平左衛門《へいざえもん》と手代の中蔵《ちゅうぞう》の二人が泊まりました。江戸で公事を終えて松本に帰る道中で、気分も軽くなっていたんでしょう。旅籠の女中から聞いた専太郎と好太郎の美貌を一目見んと座敷に二人を呼ぶ手配をして、若い二人に十分に飲み食いさせて、小遣いも上げた」

「芸もない十四、五の二人に、そんなことをしなさったか」

政次は清蔵の問いに困った顔をした。

しほが、

「私がいて話しにくいのなら御用に戻るわ」

と言った。

「しほちゃんは大人だ。なにを聞いても分別がつく、話すから聞いてくれ」

「無理をしないで」

「手代の中蔵は、信濃屋の旦那の稚児《ちご》だったのさ。だから、専太郎と好太郎を呼んだ。二人はその晩、旅籠に泊まっていった」

「男四人が閨《ねや》を共にしたといいなさるか、なんてこった」

と清蔵が呻《うめ》いた。

「翌日、信濃屋の主従は松本目指して内藤新宿を発《た》った。そして、専太郎と好太郎も内藤新宿から姿を消した」

「えっ、内藤新宿の一夜だけではなく、あとを引いていたかねえ」

政次が首を横に振った。

「専太郎と好太郎の二人、信濃屋平左衛門が持参していた四百両の金子に狙《ねら》いをつけたんですよ」

「なんということが」

「小仏峠《こぼとけとうげ》を越える二人の不意を襲い、二人を撲殺《ぼくさつ》して懐の金子を奪い、谷底に死体を投げ込んだ。その足で内藤新宿に戻った二人は四百両を山分けして、それぞれの道に進んだ。二人はここぞと思うときにその金子を遣い、周りに気に入られるようにして出世したんですよ」

「そのことを好太郎が白状しましたか」

「清蔵様、私たちが苦労したのは好太郎がなぜ専太郎までを殺したか、動機の解明でした。推測はおぼろについていた、二人が共有する秘密が此度の事件を引き起こしたってね。佐兵衛《さへえ》も光蔵《こうぞう》もおいねも巻き添えを食っただけです。そちらに私たちの探索の目を向かせようとしただけです。好太郎は獄門に上がることが分かっているから必死で喋ることに抵抗しました。そこで私たちは再び内藤新宿に行き、奉公に出る前の二人の行状を調べ直したのです。そして、信濃屋主従と専太郎、好太郎の二太郎との一夜に行き当たった」

「八王子までいきなさったか」

「いきなり八王子に向かったわけではございません。高井戸宿から府中、日野宿と調べ歩いて、小仏の関所で信濃屋の主従が殺された事件が未解決になっていることに行き当たった」

「やりなすったねえ」

金座裏の若親分以下若い手先たちが疲労しきっている理由を清蔵は知らされた。

「それを突きつけられ、好太郎は恐れ入りましたと喋ったんですね」

政次が首を横に振った。

「一筋縄ではいきませんでしたか」

「したたかでした、好太郎は」

と政次が答え、亮吉が代った。

「旦那、おれたちは専太郎と好太郎の持ち物をもう一度丹念に調べ直したんだよ。好太郎は石富の部屋の天井裏に百五十数両を隠していた。専太郎は金子はさほどなかったが、床下に信濃屋平左衛門から奪った印籠《いんろう》と凝った細工の煙草入れ、それに公事の書類を隠していた。それと信濃屋主従を襲った顚末《てんまつ》、二人の役割を詳しく書き残していたんだ」

「なんでそんなことを」

「ひょっとしたら専太郎は好太郎の本性を見抜いていたんじゃないかねえ、自分も裏切られるとね。それが自白の決め手よ」

と亮吉がとどめを刺すように言った。

「好太郎は自分たちの秘密がばれるのを恐れ、兄弟同然に育った専太郎を殺したんですか」

政次が清蔵の問いに頷《うなず》く。

「好太郎は人間じゃないよ」

「専太郎も好太郎も恵まれた家に生まれなかったかもしれない。だが、そんな人間はいくらもいます」

「おまえさん方のようにむじな長屋で生まれ育っても立派に成人した人間は、この江戸にもいくらもいます」

「清蔵様、私たちが立派に育ったかどうかまだ答えは出ていますまい」

と政次がやんわりと反論した。

「そうかねえ、金座裏の十代目を継ぐ者、それを傍らから支える者、綱定《つなさだ》の売れっ子船頭、だれもが一人前の男ですよ」

政次が笑みで受け流し、

「清蔵様、好太郎の前に大きな道が開けていた」

「内藤新宿でも名代の分限者《ぶげんしゃ》石富の婿になることですね」

「そういうことです。だが、それには大きな不安があった」

「専太郎と何年も前に犯した殺人事件だ」

「そういうことです。好太郎は専太郎の口を封じれば秘密を知る者はだれもいなくなると考えたのです」

「そのために新たな殺人を犯したのですかな」

政次が哀しげに頷いた。

「好太郎は専太郎の口から造園竹木問屋丸籐のお店《たな》の内情を聞き知っておりました。専太郎を落籍せた番頭の佐兵衛ばかりか次席番頭の光蔵までがお店の金に手をつけ、品川女郎を落籍せて本所に囲っていることをね。そこでこの事実を慎重に新たな殺人事件に組み込むことにした」

「政次さん」

と遠慮げにしほが口を挟んだ。

「専太郎さんと好太郎さんは別々の道を歩き始めたあとも親しく付き合っていたの」

「うーむ、そこだ」

と政次が言い淀《よど》んだ。

「しほちゃん、親しい付き合いがあったからこそ専太郎は丸籐の内情をすべて好太郎に話している、閨物語にな」

と常丸が吐き捨てた。

「まあっ」

とようやくそのことに気付いたしほが顔を赤らめ、怒りに震えた。

「常丸さん、専太郎と好太郎はかげまの関係か」

「旦那も今頃気付いたか。こいつがなければ此度の事件は理解つかないんだよ」

　と常丸が言う。

「なんてこった」

「ともかく好太郎はまず専太郎を殺し、その夜、訪ねてくる手筈《てはず》の佐兵衛を碁会所からの道すがら襲い、一刺しした。さらにこの夜、川向こうに飛んで、光蔵とおいねを始末した。これで好太郎が考えた昔の秘密を消す、新たな殺人は終わった。だが、この夜、間違いを起こした。冷酷な好太郎が非情に徹し切れなかった、千代の參吉《さんきち》に手をつけなかったことです」

　政次が話を締め括《くく》り、
　ふうっ
　と息を大きく吐いた。

「この一夜で過去に決別するはずだった。だが、崩壊の夜となった」

「自分だけいい子になって、石富の婿になろうなんて、ふざけた野郎ですよ」

　と清蔵が不機嫌な顔で吐き捨てた。

「表面だけでは人も物事も判断してはいけねえという見本みたいな事件だぜ。おれはさ、調べていくうちに悪の専太郎、いい子の好太郎という評判がいかに間違っていたか、思い知らされた。専太郎を操り、悪行を重ねてきた張本人は好太郎じゃねえかと思うようになった。今度の事件がそれを物語っているじゃねえか、てまえ一人がいい思いをしようと佐兵衛、専太郎、光蔵、おいねと四人も殺して、平然とおしげさんの婿になろうと考えた野郎の心魂《こころだましい》が憎いや」

と亮吉が言った。

「亮吉さん、専太郎さんだって許すわけにはいかないわ。好太郎と二人で信濃屋の主従を小仏峠で殺しているんでしょ」

「そういうことだ、しほちゃん」

しばらく無言が座に続いた。

ふいに清蔵が、

「若親分、亮吉、すまなかったねえ、何度も嫌な思いをさせてさ。今日は払いなんぞを気にせずさ、好きなだけ酒を飲んでおくれ。嫌なことはさらりと忘れておくれ」

と詫《わ》びた。

いつもなら亮吉から歓声が上がるところだが、奇妙に静かだった。

二

政次はいつもの暮らしに戻すために熱心に赤坂田町の神谷丈右衛門《かみやじょうえもん》道場に通い、稽《けい》古《こ》に打ち込んでいた。沈みがちの気持ちも猛稽古のお陰で少しずつほぐれ、いつもの政次へ戻っていった。

「政次、相手を致せ」

と丈右衛門が打ち込みに連れ出し、政次の体の中に残っていた最後のもやもやを搾り出すように稽古をつけてくれた。

「よかろう」

と丈右衛門が竹刀《しない》を引いたとき、政次は生まれ変わったような爽快《そうかい》な気分に包まれていた。

「先生、お稽古、有難うございました」

「どうやら事件は解決を見たようだな」

「はい。そして、ただ今の私は生まれたての赤子のように爽《さわ》やかな心境にございます」

「過日の折は迷いがそなたの五体に詰まっているように見受けられたが、もはや霧散したわ。一皮剝《む》けたとはこのことであろう」

「有難うございました」

政次は稽古が終わると赤坂田町から御堀沿いにぴょんぴょん跳ねながら、金座裏まで走って戻った。すると常丸たちが金座裏の内外を手分けして清掃をしていた。

「すまないね」

政次も早速加わった。

掃除に加わっていた金座の老門番の段六《だんろく》が、

「若親分、稽古帰りか」

と迎え、

「なんだか、このところ皆さんの元気がなかったが、晴れ晴れなされたようですね。なにかよいことがございましたかな」

と聞いたほどだ。

「段六さんよ、ちょいと鬱々《うつうつ》とした事件が一区切りついたからな。若親分以下、この亮吉様までが晴れやかな顔をしているんだよ」

「亮吉さんの顔が晴れやかとは言ってはおらぬし、晴れやかな面には一番ほど遠いわ。都合よく勘違いなされておられるようだ」

と呟いた段六が箒《ほうき》を手に金座の門内に消えた。

「ちえっ、おれだって晴れやかな気分くらいならあ」

と独り毒づいた亮吉が、

「彦四郎が呼ばれているってねえ。朝餉《あさげ》の後、どこかへ出かけるのかい、若親分」

と聞いてきた。

「いや、私は知らないよ。親分が呼ばれたのかな」

そのときはそれで会話が終わった。

残りの清掃を片付けた政次と住み込みの常丸たちは井戸端で顔や手足を洗い、台所の板の間に並んだ箱膳《はこぜん》の前に向かった。

その朝もしほが手伝いに来ていた。

しほの金座裏詣《もう》ではこのところ毎朝のことだった。つい先日までは朝餉の席にも重苦しい雰囲気が漂い、ご飯の減りも少なかった。だが、今はだれもがどんぶり飯を競争のように掻《か》っ込んでいた。

それがしほにはなによりも嬉《うれ》しかった。

政次も朝だけは常丸たちと一緒に台所で箱膳を並べ、食事を摂る。

夕餉はおみつの給仕で宗五郎《そうごろう》と居間でなにやかやと話しながら食べることが多い。

政次が金座裏に養子に入った後、親子の会話を増やそうとそんな風に変わったのだ。

その朝の味噌汁《みそしる》の身は浅利《あさり》だった。蒸し鰈《がれい》の焼き物に季節の野菜の煮物、冷奴にお香と盛りだくさんの菜でもりもりと食べる光景は壮観だ。

宗五郎もおみつも、

「朝餉をしっかりと食べないと一人前の仕事は出来ない」

という考えだから、若い連中の胃の腑《ふ》を満たすだけのおかずが供された。

ふうっ

と亮吉が丼《どんぶり》に三杯飯を平らげたとき、

のそっ

という感じで彦四郎が台所に姿を見せた。

「彦四郎さん、朝餉を食べた?」

しほの問いに膳の上をちらりと見た彦四郎が、

「しほちゃん、朝餉を二度食べる時代は過ぎたぜ」

と答えたものだ。

「そうか、おれなんぞ生みたての鶏卵があれば、もう一膳は食べられる」

となりの小さな亮吉がいう。

「おまえは餓鬼の時分から身の程知らずで、食べ物飲み物には意地汚かったよ。おまえと一緒にされてたまるものか。亮吉、分別と一緒でな、胃の腑もそこそこの年齢で落ち着くものだ」

と彦四郎が一蹴した。

「彦四郎さんよ、亮吉に分別うんぬんするのが間違いだぜ」

「常丸兄さん、確かだ。ついうっかりと人間扱いしちまったよ」

と彦四郎が応じ、その彦四郎の前に熱々の茶と芋羊羹《いもようかん》が供された。

「あれ、いいな。彦四郎の奴、一人で甘いもの食う気だぜ」

「亮吉さんは確かに食べ物には目敏《めざと》いわ。食べたいの？」

「食べたい」

しほの言葉に亮吉が即答した。

「まるで餓鬼だぜ」

しほは、住み込みの若い手先全員と政次のお茶を淹《い》れ代え、厚く切った頂き物の芋羊羹を出した。

「甘いものは別腹だよな」

亮吉が嬉しそうに芋羊羹にかぶりつく。

しほは冗談を言い合えるようになった金座裏がなにより嬉しかった。だが、すべて憂いが消えたわけではないことを未《ま》だしほは知らなかった。

「彦、どこへ出かけるんだ」

「おれはまだ聞いてねえぜ、一応、猪牙《ちょき》は船着場に用意してきた。親分の命があれば直《す》ぐに引き出すぜ」

と彦四郎は鷹揚《おうよう》に芋羊羹を食べながら答えた。どうやら彦四郎の猪牙の修繕も終わったようだとしほは思った。

「そうだ、うちの船への悪戯だがな、他の船宿の船頭の悪さだったぜ。親方が現場を押えられたんだ。捕まえてみれば仲間だ。事情を聞くと船宿の仲間といさかいがあってさ、うちの船に悪さをしていたんだと。自分の船にするがいいや」

「呆れた話だ。おれが出てふん捕まえようか」

と亮吉が言う。

「お上の手をわずらわせるまでもないと、親方が先方の船宿に話をつけてよ、修理代を出させて、幕だ」

「おれの出る番はねえか」

「お前が出てくれば話がややこしくなる」

と答えた彦四郎に、

「ところで彦、急ぎの御用じゃねえのか」

と亮吉が話題を変えた。

政次が居間に呼ばれ、その日の手配りが宗五郎から伝達され、政次、亮吉は金座裏に残ることが、常丸たちは二組に分かれ、縄張り中の見回りに出ることが指示された。

宗五郎はなぜ政次、亮吉、それに彦四郎三人を残したか言わなかった。

常丸たちが出かけた後、おみつが居間に続く座敷に夏茣蓙《ござ》の座布団を用意して、客を迎える仕度をした。

客が金座裏に姿を見せたのは四つ（午前十時）の刻限だ。

客を出迎えたのはおみつとしほだ。

「嘉門《かもん》様、ご足労に存じます」

と北町奉行小田切直年《おだぎりなおとし》の内与力《うちよりき》嘉門與八郎《よはちろう》におみつが挨拶《あいさつ》し、もう一人の客に会釈をした。

三十代半ばか、屋敷奉公の武家と見えて堂々とした体格に貫禄《かんろく》が滲《にじ》んでいた。だが、顔は苦労を重ねたか、額に深い皺《しわ》が刻まれて走っていた。

「初めて金座裏に寄せてもろうた。さすがに幕府開闢《かいびゃく》の折からの金流しの親分の家だのう、金座裏をしっかりと守る気構えが見えておる」

と嘉門が武家屋敷では見られない広い玄関土間や上がり框《がまち》の板の間を見回した。歳月を経た梁《はり》や柱や床はぴかぴかに磨き上げられていた。

「まずはお上がり下さいまし」

「邪魔を致す」

二人の武家が奥へと招じ上げられた。

広座敷に二人の客を想定してすでに席が用意され、居間との敷居には夏らしく蘆障《よししょう》子《じ》が嵌《は》められていたが、そのかたわらに宗五郎と政次が待ち受けて、さらにその後ろに亮吉と彦四郎が呼ばれて座していた。

「ようこそいらっしゃいましたな」

「金座裏、邪魔を致す」

政次も義父を見習い、頭を下げて客を迎えた。そして、顔を上げた瞬間、嘉門が伴ってきた武家と視線を交えることになった。

(やはりそうであったか)

政次の胸の中で十一年前の夏の出来事が蘇った。

二人が座に着き、

「政次どの、久しいのう。その節は命を助けられた」

と礼を述べた。

あの夏の日、三村五郎次《みむらごろうじ》と名乗っていた若侍がこの日の正客だった。

政次は即座に十一年前の若侍の面影を眼前の武士に見て取った。

「あっ！」

と驚きの声を亮吉が発した。

「お、親分、あんときの若侍がこのお方か」

「騒ぐんじゃねえ、亮吉」

と宗五郎が亮吉を窘め、それでも亮吉が、

「ぶっ魂消《たまげ》たぜ」

と呟いた。

「その折、三村五郎次様とお名を記憶しておりましたが、ただ今は澤潟《さわがた》様とご改名なされましたか」

政次が聞き、

「やはり覚えておったか」

と客が、永年考えてきたことの答えを確かめるように応じた。

「政次どの、あの騒ぎから五年後に水戸家国許《くにもと》の老中職澤潟家に養子に入ってな、ただ今では澤潟五郎次にござる」

老中とは水戸家独特の職名で、領内支配をする郡方《こおりかた》、郡奉行を取り締まる職掌だ。澤潟家は代々水戸領内を監督し、同時に十八人いる家老職の一人でもあった。禄高は千七百石である。

そんなことを案内役の嘉門が説明した。

「ということは無事にお役目を果たされたんだな」

亮吉が遠慮なく聞いた。

「そなたら三人のお蔭で水戸に辿り着くことが出来た。遅くなったが、そなたら三人に礼を申したい。このとおりだ」

と座布団を滑り下りた澤潟五郎次が政次らに頭を下げた。

政次らも平伏して無言裡《り》に応じた。

「澤潟様、十一年前の夏の出来事をわっしが承知したのは、そなた様が北町奉行を訪ねて、うちの倅のことをお尋ねになった後のことだ。こいつらは偶然にも見聞した出来事を三人だけの秘密にして、だれにも洩らさなかったのでさあ」

澤潟が大きく頷いた。

「さすがに金座裏の親分が十代目に選ばれた人物かな、腹が据わっておられる。あいや、亮吉どの、彦四郎どののもまたよくも水戸の秘密を守って下された。重ねて礼を申す」

「澤潟様、わっしらは水戸様の秘密を守るために口を噤《つぐ》んでいたんじゃあねえや。子供心にさ、喋ってしまえばおれたちに危難が降りかかりそうで黙っていただけだ」

　と彦四郎も言う。

「賢明なことであった」

　と澤潟が答えたとき、おみつとしほが茶菓を運んできて、話が中断した。

「ごゆっくり」

　と女たちが去り、話が再開されたとき、澤潟に宗五郎が質《ただ》した。

「こやつらが見聞きした騒ぎ、もはや水戸家では解決なされたのですか」

「それがしが金座裏に伺ったのは、そのことがあってのことでござる」

　澤潟が茶碗の蓋《ふた》をとり、口を潤した。

「こちらを訪ねるかどうか積年悩んで参った。悩んだ末に訪ねた以上、許せるかぎりそなたらにわれらの行動を承知しておいて貰おうと、それがしも覚悟して参った」

「澤潟様、御三家水戸様のご内情を町人のわっしらに話すと申されるので」

「十一年も礼を言えずにいた者の詫びの気持ちと思うてくれぬか。それに金座裏はただの町人ではない。江戸が作られて以来の古町《こまち》町人、さらには将軍家光様が特に金流しの十手を許された家柄だ。武家ではないが徳川家に奉公する忠義心を持つ家系である」

澤潟五郎次の面体には真心が溢《あふ》れて、作為は見られなかった。

「澤潟様のお話がどのようなものか推測も付きませぬ。だが、この三人が子供心に秘事としなければと思うてきた覚悟をわっしらも此度見習いましょうか」

「宗五郎どの、そなたのことなど北町奉行小田切様から縷々《るる》聞いておる。頼りにするとこれほど確かな人物もおらぬとの言葉も貰っておる」

と前置きした澤潟が、

「政次どの、そなたら、あの場所がどうなっておるか承知か」

と聞いた。

「あの騒ぎの後、神田川に通じる流れの口は人の出入りが出来ぬように封鎖されましたな」

澤潟が頷く。

「あの場所を見つけたのは彦四郎なんでございますよ。彦四郎は江戸府内の水路に滅法詳しく、子供時分から船宿の船に乗り込んでは手伝いをしてきたんです。それが高じてただ今では網定の船頭にございます」

澤潟が承知しているという顔で頷いた。

「政次若親分が言うようにわっしが水戸家から流れ出る川で水遊びをしないかと二人を誘ったんでさあ。しかし、まさかあのような騒ぎに出くわそうとは夢にも考えませんでした」

澤潟が彦四郎の言葉に首を縦に振り、しばし瞑目《めいもく》した。が、直ぐに両眼を見開き、

「あの騒ぎ、そなたらの口から話してくれぬか」

と頼んだ。

「十一年前のことで忘れたこともございましょう。なにしろ富田様方が近付く気配に私どもは見付かってはいけないと必死で池から上がり、木陰に隠れたんでございますよ」

「そんときさ、あんまり慌てて着物を大紅葉《もみじ》の枝に載せておいたのを忘れちまってよ、慌てたっけ」

と亮吉が口を挟んだ。

「大紅葉の枝にそなたらの衣服があったとな、それがしも新吾もなにも気付かなかっ

た。ただ、命じられた場所で命じられたように待っていただけだった」

「命じられた相手は半澤《はんざわ》様でしたね」

政次の言葉に、

「やはり記憶しておられたか」

と答えた澤潟が、

「半澤立沖《たつおき》様は江戸定府ながら国許の事情にも通じられた藩政改革派の旗頭であったのだ、役職は目付でな。われらは半澤様と一緒に水戸へ急行することになっていた」

「殺された富田様にあなた様が水戸領内の事情を説明なされました。本来、二十五万石の実高しかないところに紀伊、尾張と家格を合わせるために三十六万石に内高を上げられた、元禄十四年の話とか。それが水戸藩の窮乏の原因の一つと富田様に説明なされ、藩内の換金物産などを付け加えられました」

澤潟が驚きの表情を見せ、

「ようも覚えておるな。それで」

と催促した。

「領内は百姓が逃散《ちょうさん》し、手余り地ばかりだと申され、それを改革するために子を一人でも多く増やし、殖産を新たに興し、疲弊した在郷の活況を取り戻す必要があるとも申されました」

「………」

「その資金を集めるために領内の分限者豪農に金子を募り、その代わり士分に取り立てる案、献金上士制を徳川治保様が許されたとも説明なされましたな」

「なんと迂闊《うかつ》なことをそれがしは喋ったものよ」

と澤潟が己の若さを呪詛《じゅそ》するように呟いた。

「富田様の道中嚢《のう》に殿様の書付がございました。それを水戸へとお届けするのが、富田新吾様と三村五郎次様と……」

「……半澤立沖様に課せられた任務であったのだ」

今度は澤潟が呻いた。

「献金上士制に賛同なされたと思われていた半澤様は江戸藩邸派の山科《やましな》家老一派に寝返り、三村様と富田様の暗殺をしのけようとあの池に参られた」

「われらはそのようなことも知らずにうっかりと池の岸辺で眠り込んでしまった」

「夕暮れ、半澤様が飄然《ひょうぜん》と姿を見せられ、お二人に殿様の書状を持参していることを確かめた後、いきなり富田様に斬り掛かられた。叫ぶ暇もないほどの早業でございました」

「半澤立沖様は、田宮流の抜刀術の達人でな、東軍流の剣も免許皆伝の腕前である」

「三村様も必死で刀に飛び付き、抵抗しようとなされました」

「だが、半澤様は確実に間合いを詰めてこられた。それがしはあの瞬間、死を覚悟した。そして、遣いを果たすことなく惨死する無念の感情に見舞われておった。そのときだ、そなたらが、叫び出したのは……」

「いかにもさようでございました」

「さすがの半澤様も、そなたらの存在が理解付かず屋敷に助けを求めるために引き返された。それがしが今も政次どの、そなたに感謝致すのは、富田の死に動揺するそれがしを一喝して遣いの役目を思い出させ、水戸へ急行せよと忠告されたことだ」

「無事で水戸に戻られましたか」

「追っ手の追跡を何度も掻い潜り、なんとか命からがら水戸に戻った。だが、江戸定府派に先手を打たれ、献金上士制は潰された後であったのだ。それがしは遣いの役目を果たせなかったのだ」

　と澤潟が十一年前の夏を思い出し、虚脱したように苦く呟いた。

三

「澤潟様、半澤って目付は生きておるのですね」

彦四郎の声が澤潟五郎次を再び現実に引き戻した。

「存命である」

「おかしいじゃねえか」

と亮吉が抗議するように叫んだ。

「これ、亮吉、言葉遣いに気をつけないか」

宗五郎が非礼を咎《とが》めた。

だが、澤潟は苦悶《くもん》するように黙り込んでいた。

「だってよ、親分、半澤って目付は味方を裏切り、水戸様のご家来の富田新五様を殺したんだぜ。おれたちの目の前で騙し討ちのようにな」

「亮吉どの、それが水戸の現状にござる」

澤潟が哀しげに返答した。

「半澤様にはなんの咎めもございませんでしたか」

政次が質《ただ》した。

「人ひとりを殺しておいてなんの咎めもなし、ご不審にそなた方が思われるのは当然にござる。だがな、富田新吾の死は闇に葬られ、未だその亡骸《なきがら》さえどこに埋められているのか分からぬのだ」

「なんてこったえ。富田様にもご家族がおられましょうに。藩内ではどう富田様がいなくなったのを説明なされたんです」

宗五郎がさらに問い質す。

「親分、富田新吾は無断で藩から逐電したことになっておる」

「そんな馬鹿な。おれたちは富田様が遣いの途中だったのを確かにこの目で見たんだぜ」

亮吉も言い募った。

「富田新吾の死は江戸定府派と水戸国許派の大きな対立の狭間に巻き込まれ、その真相さえ明らかに出来ぬのだ」

「澤潟様は水戸に戻られ、そのことを訴えられましたよね」

「彦四郎どの、むろん藩庁に訴え出た。だが、それがしが追っ手を躱《かわ》し、遠廻りしながら水戸城下に入ったときには事は決着していた」

「先ほど江戸定府派が先手を打ったと申されましたな」

政次が問い、澤潟が首肯し、

「やはりもそっと詳しく説明せねば分かって貰えぬか」

と呟いた。

「水戸は御三家の中でもただ一家、定府を許されましてな、ゆえに光圀《みつくに》公の時代より天下のご意見番、副将軍を名乗るようになりました。参勤交代を免除されただけで他家より財政は有利の筈です、それに掛かる莫大《ばくだい》な費用が不要ですからな。紀伊様や尾張様のように威儀を整え、千人を越える家臣団が一年に一度道中する必要はございません。となれば藩財政に負担が掛からず、随分と楽であらねばならぬ。だが、この定府の習わしが藩内に二つの対立を生むことになった。江戸の定府派と水戸の国許派の二派の対立抗争です。同じ水戸家の家臣でありながら、江戸と水戸に分かれて相争う、なんとも無益な馬鹿げた所業です。これまで幾たびか、このことを解消しようと藩内で改革の声が上がりました。だが、その声はいつも二派の谷間に押し潰されて消えていった」

「なぜなんです」

と亮吉が聞く。

「江戸定府派には江戸の御用商人が与《くみ》し、水戸には在郷商人が加担して、対立を煽《あお》り、なんとか相手派を倒して商いを拡《ひろ》げようと応援する。二派はそれに乗っかり、既得の権益を守ろうと動く、情けなき次第です。十一年前、江戸定府派の頭目は江戸家老の山科奏悦《そうえつ》様にございました。一方、国許派の旗頭は太田忠左衛門《おおたちゅうざえもん》様と申される国家老が主導なされておりました。太田様はあの折、藩主の治保様のご理解を得て、献金上士策を取り、領内の限られた分限者、豪農から献金させ、武士身分に取りたてようと企てておられた。この献金の総額は一万両にも上ると計算されていました。この一万両を利用して子を生ませて領民を増やし、働き手を確保なされようと考えられたのです。領内には手余り地が増えて、百姓は逃散しておりましたからな。さらには紙、煙草、蒟蒻《こんにゃく》に次ぐ新しき換金作物を考え、殖産事業を興そうと太田様は考えられ、治保様も了承なされた。だが、江戸定府派が反対した、御三家の武家身分を金で売るのかというわけです」

澤潟が重い息を吐いた。

「確かにその非難は正当なものにございましょう、藩政がうまくいっておるときにはです。だが、水戸の借財は、この場で申し上げられないくらい膨大にございました。それを改革する手立てはなにもない。太田様はこの献金上士制に最後の望みを託されたのです。だが、山科様方は定府ゆえにあまりにも水戸領内の悲惨に目を向けられようとはなされないばかりか、江戸で幕閣の動向だけに目を向ける政治に明け暮れておいでだった。国家老太田様方が密かに治保様と連絡をとり、この策を遂行しようとしているとの情報を得た江戸定府派は、殿のお墨付きを奪取すべく水戸国許派であった半澤立沖様を籠絡《ろうらく》して、そなたらが目撃した暴挙に出たのです。政次どの、そなたの忠告に従い、それがしは殿の書状を胸に抱いて水戸に走った。なんとか裏街道を辿りつつ水戸に戻ろうとしましたが、それがしが国境に到着したときには国境はどこも江戸定府派の山科様の手勢で固められておったのです」

「水戸は国許派のお膝元《ひざもと》ではございませぬか、太田様の手勢はどうなされました」

「宗五郎どの、山科奏悦様は、あの折壮年の働き盛り、太田様は七十歳に近いお年、その差が出ました。また不運なことに太田様が心臓の病で倒れたことも国許派に不利に働き申した。それがしが水戸城下、国家老の太田忠左衛門様の屋敷に辿りついたとき、すでに寛政元年の改革派は潰《つい》えておりました。もはや治保様のお墨付きも力を発揮できないほどに定府派の巻き返しに遭い、事は決着していたのです」

「富田様の死は無駄だったんですかえ」

　亮吉が聞く。

「富田新吾は改革の務めを果たさんとして殺されたにもかかわらず、藩から自らの意思にて逐電として処理されました。半澤様になんらお咎めがなき理由です」

「なんということでございましょう」

宗五郎が嘆くように言った。

「親分、水戸改革の機運は絶たれた。太田様があの騒ぎの一年後に亡くなられ、ただ今は嫡男の資左衛門《すけざえもん》様が跡を継がれておられます」

と澤潟が十一年前の事件を振り返り、疲れた顔で冷えた茶を啜った。

「澤潟様、これでお互いが十一年前の騒ぎを説明し合ったわけでございますな」

と政次が言い、澤潟が頷く。

「澤潟様、なぜ十一年が経過した今、われらの身元を調べられましたな」

「政次どの、それこそがこちらを訪ねた真の理由にござる」

「お聞きしましょう」

澤潟が頷く。

「もはやそなた方は承知なされた。十一年前の夏の藩政改革も富田新吾殺しも闇に葬られたまま、なんの解決の目処《めど》も立たなかったことをな」

「水戸の藩財政は十一年前と比較して、いかに変わりましたか」

「政次どの、十一年前に放置した藩財政はさらに悪化して改革はさらに困窮の度を深めております。それがし、なぜ、あの折、命を賭《と》しても藩政改革に邁進《まいしん》しなかったか、後悔しており申す。富田新吾の霊に申し開きが立ちませぬ」

　政次は血を吐くような澤潟五郎次の言葉をただ黙って聞くしか方法はなかった。

「十一年前と変わったこともある。三村五郎次様は澤潟家に入られ、家老の一員となられた」

「政次どの、水戸家には十八人の家老職がおります。同じ家老職とは申せ、水戸国家老を務められる家系は一万五千石、家老の一番下は八百石、月と鼈《すっぽん》にございます」

「だが、澤潟様は家老職の一員に上がられ、寛政元年の改革を再び推し進めようとなされておられる。でなければ、あの十一年前に騒ぎを目撃した私ども三人にこうして会おうとはなされますまい」

「政次どの、最後の機会かもしれぬ。水戸が水戸として御三家の役目を果たすためになんとしても改革を断行せねばなりませぬ」

「献金上士制の策が再び持ち上がったのですね」

「此度は江戸定府派を出来るだけ刺激せぬように献金をした者を郷士に取り立てる献金郷士制と名を変えております。だが、中味は十一年前と同じにございます」

「反対派は相変わらず江戸家老の山科奏悦様ですか」

「いかにもさよう。山科様は十一年の歳月に甲羅を重ねてさらに狡猾《こうかつ》になられております」

「澤潟様、富田新吾様を殺した半澤はやはり定府派ですかえ」

と彦四郎が聞く。

「さよう。昔も今も藩内の諸々に目を光らせる目付職に変わりはございませんが、半澤様はさらに目付役所をすべて半澤様の手中に納められ、江戸の家臣の大半は、半澤筆頭目付の目の色を窺いながら事にあたる有様にございます」

「山科江戸家老の懐刀というわけかえ」

「俗に申せばそういうことです、亮吉どの」

「ようやく合点がいったぜ」

亮吉の言葉に彦四郎が首を横に振った。

「いや、肝心なことが分かっておらねえ」

「どういうことだ、彦四郎」

「亮吉、澤潟様がこれほど事を分けて、おれたちに話されたということはよくせきのことだ。なにか事情がなければおかしいや」

ふうっ

と澤潟五郎次が息を吐いた。

「彦四郎どのが申されるとおりだ。それがしもそなたらに会うことを迷った、考えた。だが、まず第一にそれがしの命の恩人に危難が及ぶかもしれぬのを黙って見逃してはならぬと思うたのだ」

「わっしらに危難が及びますかえ」

「その可能性もあろうかと思う。なぜならば、十一年前の騒ぎはなんの始末もついておらぬからな。そして、今、藩改革が再び持ち上がれば十一年前のあの事件の始末をと考えられる方がおられるやもしれませぬ」

「おれたちの口を封じに半澤が来るって申されるんですね」

と亮吉が念を押す。

「真に迷惑なことながら、そのようなこともあろうかと考えたのだ」

「澤潟五郎次様、ようも正直に話して頂きました」

と政次が言い、過ぎた夜、龍閑橋《りゅうかんばし》で襲われた事件を告げた。

「な、なんと早そなた方は襲われたと申されるか」

「はい」と答えた政次が、

「あなた様が北町奉行所で私どものことを聞かれたと知って、私どもも十一年前の騒ぎを思い起こしたのでございますよ。そんな折、それなりの身分と思える武家に指揮された不逞《ふてい》の連中に襲われました。そこで私が、半澤様かと尋ねますと相手は大いに驚いた様子を見せました」

「政次どの、半澤様自身ではございますまい」

澤潟はなんとなくその人物の推測がついたようで、そう答えた。

「そなた方は襲撃されたと申されるが、怪我《けが》一つ受けませんでしたかな」

沢潟を金座裏まで案内してきた北町奉行所内与力嘉門與八郎が、

「澤潟様、そなたは承知ではないか。この金座裏の十代目になる政次は赤坂田町の神谷丈右衛門どの門弟ということをな」

と聞いた。

「三人のただ今はざっと調べさせて貰いましたから、およそのところは」

「澤潟様、政次は神谷先生のただの門弟ではない。近頃では五指に数えられるほどの腕前だ。少々腕に覚えの剣客が襲いきたとしても、この三人に反対にやられてしまいます」

「なんとそれほどの腕前か」

澤潟が感嘆したような表情で政次を見た。

「澤潟様、嘉門様のお話、大袈裟にございます。話は半分どころか三分程度に聞いて下さい」

　と政次が苦笑いした。

「それがしがほんとうにそなたらに会いたかった理由はな、それがしが此度、藩改革に邁進するための隠し玉がそなたらと思うてのことだ。なんぞあったとき、一一年前のあの一件を証言してくれるのはそなたら三人だけなのだからな、なんとしても生きていてくれねば困るのだ」

　と答えた澤潟が、

「神谷道場で五指に入るとなれば、並みの腕前ではないことが分かる。だが、政次どの、油断めさるな。半澤筆頭目付はこの十一年に闘争に備えての手勢を育て上げた。この定府派の刺客団は上屋敷の地名をとって小石川組と呼ばれ、それが半澤日付の地位を確固たるものとしております。小石川組でも草薙《くさなぎ》平四郎《へいしろう》、戸塚唯敦《とつかただのぶ》、若葉《わかば》登之助《とのすけ》の三人は無形流の達人にござればご注意あれ」

「承知しました」

　と政次が承り、

「澤潟様、草薙だろうと戸塚だろうとさ、襲いきて、おれたち三人の口を封じようとすればするほど墓穴を掘るってやつだ。おれたちだって黙っちゃあいませんぜ。水戸定府派の小石川組だろうがなんだろうが、向こうに回してよ、ひと暴れしてみせますって。ねえ、親分、こっちは家光様拝領の金流しの十手持ちだ。御三家なんてちっとも怖くねえよな」

と亮吉が口を尖らせた。

「亮吉、調子に乗るねえ。それが困るからこうして澤潟様がわざわざうちまでお越しになったんじゃねえか。お家に巣食う獅子身中《ししんちゅう》の虫は困るが、水戸様に指一本触っちゃあならねえのだよ」

「ややこしいな」

「亮吉、早い話が澤潟様だって水戸のご家臣だ」

彦四郎が言い、

「そうか、そうだったな」

とようやく亮吉が得心した。

「澤潟様、なんぞあったときにあの十一年前の殺しを証言できるように、おれたちが生きていればいいんだね」

「まあ、そういうことだ、亮吉どの」

「三人のだれ一人として直ぐには死にそうにはねえや、なあ、彦四郎」

「水戸の改革が進行すればするほど半澤様にとって私たちの存在は気になる、そこでどんな手を使われるとも限らないからね。気をつけるに越したことはない」

　と政次が言い、

「澤潟様、一つだけお聞きしておきたいことがございます」

「なんだな、政次どの」

「富田新吾様は逐電ということで処理されたということですが、富田家は廃絶になったのですか」

「いや、それがしの口から真相を知られた国家老の太田様が頑張られて、廃絶の処分は免れた。同時に、富田家は腰物番三百二十石の家柄であったが、家禄を二百石に減らされて弟の竹次郎《たけじろう》が跡目を継いでおる」

「竹次郎様は兄が殺された真相を承知なのですか」

「亡き国家老太田様になんとか富田の家を残すので、此度のことはこれ以上事を荒立てるなとそれがし、言い含められ、約定させられた。富田家では藩改革の中でなにか不測の事態が起こったと推量はしておるが、真相は知らされておらぬ」

「なんとねえ」

と宗五郎が唸《うな》り、

「澤潟様、十一年前の藩改革を再び推し進めるということは、また定府派と国許派で相争うということですかえ」

「親分、それがし、十一年前、なにも分からぬままに殿の書状を運ぶ役目を負わされていた。それがしの意思とは関わりなく遣いを命じられただけで国許派と目され、富田新吾も犠牲になったのだ。新たに藩改革をする以上、同じ轍《てつ》は踏みたくない。それがし、定府派とも国許派とも一線を画して行動する所存だ、それが水戸のためになると信じるゆえな。なにより治保様のお心に適うことと考えるゆえな」

「へえっ、仰《おつしや》るとおりだ。水戸は一家だ、対立して相争っている場合じゃねえ」

「全くにござる」

「澤潟様のご意思、政次らにも飲み込めたと思います。なんぞうちで手伝うことがあればなんなりとお命じ下せえ」

「迷ったが訪ねてきてよかった」

としみじみ澤潟五郎次が言った。

「澤潟様が亡き富田新吾様のことをお気にかけておられるように、私ども三人にとってもあの夏の夕暮れの出来事は忘れえぬ事件でしてね、この喉元《のどもと》に刺さりこんだ棘《とげ》なんでございますよ」

「十一年が過ぎても抜けぬか」

「私は、呉服屋の松坂屋に奉公に出ました。それを親分と松坂屋の隠居の話し合いでこちらに奉公先を変えて移って参りました。此度の話を聞いて、私が呉服屋の手代から金座裏の十代目になろうとした心の片隅にこの棘の存在があったのだと今ようよう気付かされて、自ら得心致しました」

宗五郎が政次を見た。

「抜ける棘か、そのままにしておいたほうがよいのか。水戸様の出方を見とうございます」

「政次どの、謹聴致した」

「親分も言われた。私どもで出来ることがあれば手伝わせて下さいまし。あの夕暮れの事件は、ここにいる四人が一様に共有する事件にございますよ」

「承知仕《つかまつ》った」

と澤潟が重々しく答えていた。

四

その日の夕暮れ、政次と亮吉は彦四郎が漕ぐ猪牙舟に乗り込み、神田堀をゆっくりと大川の合流部へと下っていった。

澤潟五郎次の訪問を金座裏に受けて、数日後のことだ。

「富田新吾様に実弟がおられ、なんとか家禄を継がれたと聞いたがさ、あのように美しい妹がいるなんて澤潟様もお人が悪いや、ぶっ魂消たぜ」

と亮吉が舳《へ》先《さき》から半身を乗り出して、手の先を堀の水に浸《つ》けながら言った。

「亮吉、富田様は定府、三村様改め澤潟様は国許派ゆえ、よく富田家の内情まで分からなかったのではなかろうか」

「そうかねえ」

と疑いの声で応じる亮吉に、

「そんなに美形か」

と彦四郎が長閑《のどか》な声で聞いた。

「おおっ、気性は険しそうだがなかなか整った顔立ちでよ、まず水戸藩邸でも小町娘と若侍に騒がれていることは間違いねえ」

亮吉が会うことが適わなかった彦四郎に説明した。

その日の昼前、金座裏の玄関先に供も連れていない武家娘が立った。十八、九歳か。応対した波太郎が、
ぽかん
と口を開いたほどの、きりりとした顔立ちの美人だった。

「こちらは金座裏の宗五郎親分一家でございましょうか」

「へえっ、いかにもお上の御用を賜る金座裏の九代目の家にございます」

とようやく答えた波太郎に娘が、

「若親分の政次どのはおられようか」

とさらに聞いた。

「ただ今若親分は町廻りに出ておりますが、昼時分です、おっつけ戻ってきますぜ」

と波太郎が答えたところに亮吉の声がした。

「江戸じゅうが地獄の釜《かま》にいぶられるように暑いぜ」

その声の後に爽やかにも夏羽織を着て、背からちらりと銀のなえしの柄頭《つかがしら》を粋に覗かせた政次が姿を見せた。

「政次若親分ですね」

波太郎が客のことを説明する前に武家娘が政次に声をかけていた。

「政次にございます。どちら様にございますか」

「初にお目にかかります。富田弥生《やよい》にございます」

「富田弥生様」

と政次が聞きながら、武家娘の整った顔に一人の人物を重ねていた。

「水戸様のご家中の富田様にございますか」

娘が頷いた。

「まさか」

と亮吉も声を上げかけたが、さすがにその先は飲み込んだ。

「玄関先にございます、座敷にお上がり下さい。奥でお話をお聞きしましょうか」

政次が富田弥生を神棚のある居間に招じ上げた。

宗五郎は他出中か、姿はない。

「波太郎、しばらく居間には人を入れないでおくれ」

と政次が命じ、かたわらに控えた亮吉を、

「手先の亮吉と私はいわば一心同体の仲にございます」

と説明すると弥生が事情を知っている風に小さく頷いた。

「私どもが水戸家の富田様の名で覚えがあるとしたら、富田新吾様ただ一人にございます」

政次がずばりと前置きなしに言い、弥生が、

「やはりそなた方は兄のことを承知でしたか」

と呻くように応じたものだ。そして、姿勢を改め、険しい表情になった弥生が言い出した。

「私、富田家の娘にして新吾の妹の弥生にございます。兄が御用で水戸へ行くと言い置いて藩邸のお長屋を出たのは、十一年前の夏の昼下がりにございました。以来、兄とは会っておりません。数日後、お長屋に兄が藩を逐電したという話が伝えられ、わが家は上を下への大騒ぎに陥りました。私が八つの年にございます」

政次と亮吉は弥生の言葉に頷いたが答えない。いや、答えられなかった。

十一年前の夏の出来事を三人が目撃したことは最近まで三人だけの秘密だった。それが、過日は澤潟が、いや、澤潟は当事者ゆえ承知は当然のことだった。

だが、なんと新吾の妹が三人の目撃者のことを承知していたのだ。なんとも訝しくも怪しいことであった。

「私どもは兄が逐電したなどとは信じることは出来ません。一緒に行動をとられたお

方もおられたはずですが、知らされておりません。兄が逐電したという話が伝えられて半年後、富田家の家禄は減ぜられ、なんとか家名を継ぐことだけは適いました。ですが、代々の腰物番の役職を取り上げられ、以来、富田家では兄の行方知らずに触れることさえ禁忌にございまして、口にも出来ぬことにございます。隠居をして兄に家禄を譲ったばかりの父は、無念の思いを抱きつつ、兄が行方を絶った二年後に身罷《みまか》りました。家督を継いだ次兄は、お家大事と兄がいなかったかのように振舞っております」

昼前の金座裏に弥生の言葉だけが静かに響いていた。

「私、此度縁があってご家中のさる方と婚儀が整い、家を出ることになりました。気がかりなことはお長屋に残される母の身の上にございます。一番兄のことで心を痛めた母でしたから」

と再び言葉を切った弥生が、

「政次どの、兄の行方、承知なれば教えて頂けませぬか」

と政次の目を正視しながら用件を述べた。

政次はしばし沈思し、

「弥生様、私どもの立場では富田新吾様のことを承知とも不承知とも答えられませんので」

「それはまた、どうしたことでございますか」

政次は返答に窮した。

「弥生様、その答えをするには、しばし時を貸しては頂けませぬか」

「そなた方だけでは答えられぬと申されるか」

「ご推量のことかと存じますが、私どもの都合ではございませぬ。水戸家の藩政が絡む話ゆえにございます」

「やはり」

と弥生がどこか得心した様子で肩を落とした。だが、直ぐに姿勢を正し、

「兄は逐電などではないのですね」

と問い直した。

「私が申し上げられることは唯一つ、藩のご事情に絡んでのことかと存じます」

弥生が瞑想《めいそう》し、首肯した。

「弥生様、私の方からお聞きしたいことがございます」

弥生が目を見開いた。

「兄上様の行方を私どもが承知かもしれないと、弥生様に告げられたお方はどなた様

にございますか」

今度は弥生が返答に窮した。

「弥生様の問いに私どもも答えられない。また私の問いに弥生様もご返答が適わない。このことがすべてを物語っておりますよ、弥生様。兄上様の行方不明騒ぎは事が鎮まったのではない、今もぶすぶすと埋《うず》み火がくすぶるように火種が残っているのでございますよ」

弥生が無言で頷く。

「弥生様が新吾様と別れられたのは八つの夏と申されましたな」

「はい」

「弥生様、この場で話されること、たとえご亭主になるお方にも内密になさると誓うことが出来ますか」

「どういうことにございますか」

「私が話したことがどこかへ伝われば、弥生様、そなた様のお命が危くなります。これは冗談でも脅しでもない」

政次の顔をまじまじと見詰めた弥生が、

「それほどまでに恐ろしきことが兄の不明事件には絡んでおりますか」

政次がはっきりと首肯した。

弥生から直ぐには返事がなかった。長い沈思の後、自らを納得させるように頷き、

「政次どの、弥生の一命に替えても私一人の胸の中に留《とど》めると約定申します」

「そのご返答、しかと承りました」

亮吉は緊迫した会話をただ無言で聞いているしかない。

「弥生様がお別れになった直後、富田新吾様をここに控える私ども二人ともう一人、近くに住む幼馴染《おさななじみ》の三人がお見かけしたのでございますよ。だが、新吾様と言葉を交したわけではございません」

弥生がどういうことかという顔をした。

「弥生様、私どもは十歳、遊びたい盛りにございました。そんな私ども三人が秘密の場所で遊ぶうちに富田新吾様をお見かけした。ただ今、申し上げられることはこれだけにございます」

ぐっ
弥生はなにかを言いかけたが、
とロに飲み込み、問いかけたい誘惑に耐えた。

「最後にお尋ねします。いつの日か、お互いが兄のことを正直に話し合える日が参り

ましょうか」

「弥生様、その日が一日でも早く参ることを私もここに控える亮吉も、そして、三人目の彦四郎も望んでおりますよ」

弥生が大きく頷き、

「突然にお邪魔して不躾《ぶしつけ》なことをお尋ねしました」

と詫びて頭を下げた。

「弥生様、間違いなく弥生様がうちを訪ねたことを深い関心を持って見詰めているお方がおられます。くれぐれも身辺行動にはご注意下さいまし」

弥生が最後に頷いた。

「……彦四郎、私は弥生様に私どものことを告げた人物が気にかかるのだ」

「若親分、まず考えられるのは定府派の面々だな。弥生さんが兄の新吾様の生死を今も気にかけていることを知って、おれたちに近づけ、様子を窺うために話した」

「彦四郎、弥生さんはだれでも信用するほど甘くはねえぜ。弥生さんがその言葉を信じた人物となると所帯を持つ相手か」

と亮吉が言う。

「大いに考えられるな」

神田堀を鉤型《かぎ》に回り、古着屋が軒を連ねる富沢町の河岸を通り過ぎ、大川との合流部の川口橋を潜って、大川の右岸中洲《なかす》へと出た。

彦四郎は本流に出て櫓をゆったりと大きく操った。腰のしなりを利した櫓《ろ》捌《さば》きで猪牙はぐいぐいと上流に向かった。

政次は弥生の訪問を宗五郎に報告した。

「ほう、相手も慌ただしく動き出したかえ」

と答え、

「慌てる乞食《こじき》は貰いが少ないだけじゃねえや、そのうちぼろを出すぜ」

と呟いたものだ。

政次は亮吉を誘い、龍閑橋際に船宿綱定を訪ね、彦四郎に行き先を告げた。すると彦四郎が二人の幼馴染の顔を見返すと、

「なんぞ進展があったか」

と聞いて、直ぐに猪牙舟に二人を乗せて流れに漕ぎ出したのだった。

猪牙は新大橋、両国橋と潜って大川の西岸ぞいに上流へと上がり、神田川へと入っていった。すると柳橋から幾艘《いくそう》もの猪牙舟が競うように出てきた。

吉原通いの猪牙だ。遊客の浮き立つ気持ちを乗せた猪牙は飛ぶように神田川から大川へと消えていく。

彦四郎の猪牙はそれと交わるように舳先を西へと向け、神田川の上流を目指した。

政次は弥生の訪問に十一年前の殺しの現場を覗いてみようと亮吉に持ちかけたのだ。

亮吉は一も二もなく賛成し、彦四郎も行く先を告げられると、

「ほんとうはもっと早く訪ねてもよかったかもしれないな」

と答えたものだ。

神田川を薄闇が覆っていた。

夕涼みの舟が大川に向かう。だが、荷足《にた》り船など仕事船の往来はもはやなかった。

彦四郎の漕ぐ櫓の軋《きし》みだけが深く切り立った両岸に響いた。

昌平橋《しょうへいばし》を潜り、上水道を過ぎる頃には川面《かわも》は真っ暗になっていた。江戸の水路に精通した彦四郎でなければ、灯火もなしに漕ぎ進むことは難しいだろう。

彦四郎が神田川の左岸へとゆっくり猪牙の舳先を変えた。

「彦四郎、もう直ぐと思うがな、茂った草で流れの出口が分からないぜ」

さすがに神田川を熟知した彦四郎だ。

「亮吉、この付近だ」

とぴたりと神田川に水戸屋敷から流れが注ぐ口に猪牙の舳先を突っ込んで止めた。

亮吉が茂った草を静かに掻《か》き分けて中を覗いていたが、

「政次、いや、若親分」

と潜み声で呼びかけた。

「どうした」

「奥の方でよ、明かりがちらちらしているぜ」

政次が無言で亮吉の傍らに行き、叢《くさむら》に顔を突っ込んだ。

「なっ」

闇に沈んだ流れからせせらぎの音が響いて、鬱蒼《うっそう》とした樹林の蔭で提灯《ちょうちん》の明かりがちらちらと動いていた。

「だれだえ」

亮吉が聞いたが政次は答えない。その代わり、幼馴染の船頭を振り向き、

「彦四郎、怪しまれないようにこの付近をいられるか」

「潜り込むつもりか」

「そういうことだ」

「ここにずっと止まっていては怪しまれる。川を上り下りしてよ、二人が姿を見せる

のを待ち受けていよう」

「頼む」

流れの口は竹矢来《たけやらい》で封鎖され、その竹矢来に蔓草《つるくさ》が絡み合って生い茂っていた。

政次は夏羽織を脱ぎ、銀のなえしと懐の物を猪牙の船底に残した。亮吉も真似《まね》て、身軽になった。

「若親分、おれが先に潜り込む」

と小柄な亮吉が蔓草の絡んだ竹矢来の間に体を押し込んだ。少しばかり隙間《すきま》が開いたところに政次も頭を入れた。

二人が竹矢来の内側に体を入れたところで彦四郎の猪牙が離れていった。

しばらく闇に目が慣れるのをその場で待って行動に移った。

十一年ぶりに訪ねた場所だ。季節は同じ夏だが、昼間と夜の違いがあった。だいぶ感じが違って見える。それでも岸辺と流れの境が見分けられると地形が分かった。

「よし行こう」

政次の言葉に亮吉が先頭になり、地面に這《は》いつくばって進んだ。明かりは数丁先の池の付近でちらちらとしていた。

亮吉の動きが止まった。

せせらぎの音が高鳴り、池の流れ口が二十間と近付いた頃合だ。

一本の蠟燭《ろうそく》を持つ若侍が政次にも見えた。その仲間が四、五人いた。

若侍たちは話し合っているようにも、なにかを探しているようにも見えた。

「これ以上近付くのは難しい、流れの中を進めば近づけるかもしれない」

と言うと亮吉は単衣《ひとえ》を脱いで褌《ふんどし》一丁になった。

「私も行く」

政次も着物を脱ぐと帯で結わえ、頭に載せて顎《あご》の下で帯の端を結んだ。

二人は岸辺から流れに身を浸した。

岸辺の草に摑《つか》まりながら流れを遡《さかのぼ》った。

池の口は窄《すぼ》まり、そこから水が勢いよく流れ出していた。

亮吉と政次は流れに抗して池に入り込んだ。すると数人の若者たちが池の岸辺の一角で会合を持っているのが分かった。

話し声はせせらぎの音に打ち消されて聞こえない。だが、真剣な様子は窺えた。

一人がもう一人を詰問するような態度を見せた。

「新吾様の妹……」

という声が二人に聞こえたように思えた。

詰問された若侍がなにか言いかけたとき、若侍に強盗提灯《がんどう》の明かりがさっと流れて、その姿を浮かび上がらせようとした。

「しまった、小石川組か」

詰問する若侍が叫び、蠟燭の明かりを吹き消した。

六人の若侍は藪蔭《やぶかげ》に逃げ込もうとした。だが、強盗提灯を照らした小石川組は先回りして退路を絶とうとしていた。それが流れにいる二人には分かった。

「どうする、政次」

政次は口を開き、大声を発しながら掌で開けた口を繰り返して叩《たた》いた。

人間とも野鳥ともつかぬ奇声が池の周りに木霊《こだま》した。

「ほっほっほほっ」

亮吉も真似た。

若侍たちを包囲しようとした小石川組の強盗提灯の明かりが政次たちに移動してきて、若侍たちを追跡する追っ手の足が止まり、迷う様子を見せた。

「ほっほっほほっ」

二人はもう一度叫ぶと、

「亮吉、おれたちも逃げ仕度だ」

「河童《かっぱ》の川流れといくかえ、若親分」

二人は流れに乗って彦四郎が待つ神田川との合流部へと泳いでいった。

第四話　夕間暮れの辻斬り

一

夕暮れ前、北町奉行所定廻《じょうまわ》り同心寺坂《てらさか》毅一郎《きいちろう》の町廻りに同道した金座裏《きんざうら》の若親分の政次《せいじ》と亮吉《りょうきち》らは呉服橋を渡った。

南北町奉行所にはそれぞれ定廻り同心は六名しかいない。南北が月番交代で八百八町を受け持ち、それぞれ六人の定廻り同心が分担して府内の縄張り中を巡回するのだ。

早足で江戸の町を駆け抜けて御用を済ませた寺坂と政次らの額にも汗が光っていた。

直《す》ぐそこに北町奉行所の表門が口を開いて、着慣れない羽織を着た町役人らが出てきた。

公事の場に呼び出されたのだろう。

「まっ、世はこともなしだ」

寺坂が政次に笑いかけ、

「若親分らには別の厄介ごとが降りかかっているようだがな」

と言った。

亮吉たちは少しばかり離れたところに立ち、二人の話は耳に届かなかった。

「ご存じなんで」

「内与力の嘉門《かもん》様に呼ばれ、小石川のお屋敷について命じられたことがあるのでな。その折、兄弟子のそなたなればよかろうとざっと話は聞かされた」

「寺坂様にもご心配をかけておりますか」

二人は北町の旦那と御用聞きという関《かか》わりの他に赤坂田町神谷《かみや》丈右衛門《じょうえもん》道場の兄弟弟子という関係もあった。

「まさか餓鬼の時分の隠れ遊びがこのような展開を生むとは若親分にも想像もつくめえ。正直、水戸の内所はひどい、治保《はるもり》様も名君とはほど遠い。藩内がこう乱れては天下の副将軍もあったもんじゃねえぜ」

政次はただ頷《うなず》いた。

「藩内がこう対立しては新たな犠牲が生まれるかもしれねえ。若親分には忠告無用だとは思うが、目付の半澤立沖《はんざわたつおき》は小石川探題のお頭なんぞと呼ばれて悦に入っていやがる。なかなかの悪知恵の持ち主、口も剣の腕も立つ。十分に気をつけねえ。相手は腐っても御三家だからな」

と寺坂毅一郎が注意した。

「有り難うございます」

「なんぞ力がいるときはいつでも駆け付けるぜ。北町の同心としてではねえ、神谷道場の兄弟子の立場でな」

「心強いお味方です」

政次の返答に真面目《まじめ》な顔で頷いた寺坂が、
くるり
と巻羽織の背を見せて北町奉行所の門を潜《くぐ》り、挟み箱を担いだ小者《こもの》が慌てて続いた。

御城の方角に落ちた西日が呉服橋から対岸の町屋を照らし付けていた。

まだ十分に暑さを漂わせた陽射《ひざ》しだ。

「戻ろうか」

政次は亮吉ら寺坂の町廻りに従った手先に声をかけた。

「若親分、井戸端で水を浴びてよ、しほちゃんの顔を見にいっちゃあいけねえかな」

「御用がなければそれも悪くない。だが、亮吉が見たいのはしほちゃんより酒の面だろうが」

「それを言っちまえば身も蓋《ふた》もねえや」

一行は渡ったばかりの呉服橋に足を踏み入れ、背に陽射しを浴びた。

町屋に入り、五体からすうっと緊張が解ける。やはり武家地と町屋では大きく違う、それを五体が敏感にかぎ分けるのだ。

一石橋《いっこくばし》に差しかかると夕涼みに大川に向かう納涼船が明かりを点《とも》して下っていく。

「豊島屋《としまや》の店もいいが川遊びもこの節、悪くねえな」

亮吉が納涼船を羨《うらや》ましそうに見下ろした。

「彦四郎《ひこしろう》は忙しかろう」

「ああ、稼ぎ時だ」

と政次と亮吉が言い合ったとき、政次の前に一文字笠《いちもんじがさ》を被《かぶ》った一人の影が立った。

がっちりとした体格の武家が笠の縁を上げ、面体を見せた。

政次が半間ほど前に立った武士に十一年前の、刺客の面影を見た。亮吉が
あっ
と叫び、だれなのか、気付いた。

「波太郎《なみたろう》、先に金座裏に戻っていなさい」

政次が若い手先に命じた。波太郎は訝《いぶか》しい表情を見せたが、

「へえっ、若親分」

と言い残して一石橋を渡って人混みに消えた。

「政次、亮吉、初の対面よのう」

「そうなりますか、半澤立沖様」

十一年前の夏、政次と亮吉は半澤が富田《とみた》新吾《しんご》を斬《き》り殺したのを藪蔭《やぶかげ》から見ただけだ。そして、三村《みむら》五郎次《ごろうじ》に斬りかかるのを咄嗟《とっさ》に大声を出して邪魔をしたのだ。互いが顔を合わせたわけではない。

「十一年前、不覚にも禍根を残した。当初、おれが考えていた以上に危険な火種だったと気付かされたが、後の祭りというやつよ」

「小石川探題のお頭は独りで町廻りをなされますので」

それには答えず、半澤が言い放った。

「まさか金座裏の十代目になる男に見られておったとは、とんだドジを踏んだものだぜ」

十一年前のこととはいえ、殺人の現場を幼かった政次らに目撃されていた。その少年の一人は今や金座裏の十代目に決まり、売り出し中の若親分だ。そして、もう一人はその手先だ。だが、半澤は平然としたものだ。

「御用の趣をお伺い致しましょうか」

「あれは水戸家の内々の出来事だ、忘れよ。と申しても、そなたにはなにを今さらと答えられそうだな」

「寝た子を起こしたって奴ですよ、半澤様」

「そうか、そうであろう。となれば政次、互いが鎬《しのぎ》を削って争うしか方策はないか」

「半澤様、うちの務めは町方御用にございます。武家の争いごとに首を突っ込むのはご法度《はっと》、親分にも言い含められております」

「ほう」

「ただし、降りかかる火の粉を払うのは吝《やぶさ》かではございません」

半澤の両眼が細く閉じられた。鈍い光が政次を射た。今にも得意の抜き打ちが飛んできそうな殺気を静かに漂わせた。

「おぬし、神谷丈右衛門道場の門弟じゃそうな。呉服屋の手代上がりで金座裏に迎えられたと聞いたとき、なんのことがあろうかと高を括《くく》ったが、ちと早計であったな。十一年前の餓鬼はそれがしにとって危険な男に成長したようだ」

「半澤様、よい機会にございます。申し上げておきます」

「なんだ」

「御三家水戸様のお家の争いにいくら金流しの十手でも首を突っ込むことは適《かな》いませ

んや。ですが、最前も申しましたとおり、火の粉が飛んできますようなれば振り払いますし、ときには火の粉が飛んだ理由を八百八町に知らせます。その手立てがないわけではございません」

「脅されておるようだな」

と半澤が言い、

「そなたとぶつかるときには命を賭《か》けるしかあるまい」

「そのような折が参らぬことを願っております」

うーむ
と顎《あご》を振った半澤が、

「会ってよかった」

との呟《つぶや》きを残すと一文字笠の縁を下げた。すると半澤の両眼が笠の下に隠れて、さらに一層危険な匂《にお》いが一石橋に漂った。

政次が体を開いて、道を開けた。

半澤はその開かれた道を真っ直ぐに進んで、夕間暮れの町に姿を没しさせた。

ふうっ
と亮吉が大きな息を吐き、

「御三家水戸の武家に、まるで狂犬のような野郎がいるのか」

と呆然《ぼうぜん》と呟く。

「亮吉、間違いない、あの男は危険極まりない。いくら用心したとしても、し過ぎるということはないよ」

「彦四郎に知らせようか」

政次が頷いた。

一石橋上で半澤立沖と出会った政次と亮吉は、その足で龍閑橋《りゅうかんばし》際の船宿綱定に立ち寄った。すると船着場から、

「政次、亮吉！」

と幼馴染《おさななじみ》の呼ぶ声がした。

彦四郎は猪牙《ちょき》の仕度をしていた。これからどこかへ客を送っていくのか、灯火が舳《へ》先《さき》に掲げられ、船着場に綱定の女将《おかみ》のおふじが立っていた。

「あら、若親分、亮吉さん、お揃《そろ》いでなあに」

「おふじさん、彦四郎に内緒の相談だ」

と亮吉が言いかけ、おふじが、

「私がいては邪魔なのね」

と気を利かして船着場から石段を上がっていった。客を迎えにいったのだ。

「なんだ、亮吉。改まって内緒の相談とは」

「若親分から聞いてくんな」

亮吉が一歩引き、政次が今の出会いを告げた。

「大胆な野郎だねえ。いくら町人とはいえ、金座裏の金流しの一家は天下御免の公方《くぼう》様公認の十手持ちだぜ。その若親分に挑戦状かえ」

「彦四郎、相手は水戸様だぜ」

と亮吉が口を挟んだ。

「亮吉、勘違いするねえ。半澤某《なにがし》が水戸そのものではねえよ。水戸様を束ねるのは治保様だけだ」

さすがに日頃から幕閣の人間やら大店《おおだな》の得意先を持つ彦四郎が言い切った。

「彦四郎、おまえが言うとおりだよ。だが、半澤立沖はおれたちがこれまで会った中でも折り紙つきの危険な男だ。亮吉はそのことを彦四郎に言いたかっただけだ」

「政次若親分、気持ちは分かっているって」

と彦四郎が答えたとき、おふじがお店の番頭風の男を案内して船着場にまた姿を見せた。

「おや、金座裏の若親分じゃないか」

「お暑うございますね、能登屋《のとや》の番頭さん」

本石町《ほんごくちょう》の加賀漆器を扱う能登屋の番頭の弘蔵《こうぞう》だった。

「番頭さん、夕涼みかえ、それとも吉原かえ」

亮吉が口を挟む。

「亮吉さん、そんな用向きならなんぼかよかろう。川向こうのお得意様のご隠居が亡くなられ、通夜に参るところです」

「そいつは失礼しました、ご苦労様だ」

と応じた亮吉が、

「彦四郎、間違いのねえように弘蔵さんを送り迎えするんだぜ」

とおふじの代わりに余計な指図までした。

「どぶ鼠《ねずみ》に見送られても、なんの風情もねえや」

と言いながら彦四郎は猪牙に弘蔵が乗り易いように竿《さお》で止めた。弘蔵が乗り込み、座るのを確かめたおふじが舳先に手を添えて猪牙を流れに押し出し、

「番頭さん、お気を付けて」

と送り出す。

「彦、番頭さんを送り迎えしたら鎌倉河岸《かまくらがし》に顔を出せ。豊島屋にいるぜ」

「合点だ」

と宵闇《よいやみ》の川面から彦四郎の声が聞こえてきた。

政次と亮吉らが鎌倉河岸の豊島屋に顔を出したとき、兄弟駕籠《かご》の繁三《しげぞう》が口角泡を飛ばしてなにかを語っていた。

「どうした、駕籠屋」

「おっ、来たな。おめえらもまだ知るめえ。半刻《はんとき》（一時間）も前、池《いけ》の端《はた》で辻斬《つじぎ》りだ」

「なにっ、見たのか」

亮吉が身を乗り出した。

「どぶ鼠、今さら駆け付けたって遅いぜ。下谷《したや》の万蔵《まんぞう》親分が呼ばれたからな」

「万蔵親分の縄張り内だからな、致し方あるめい」

急に関心が失《う》せた様子の亮吉に替わり、政次が、

「繁三さん、辻斬りが姿を見せるにしては刻限が早いね、半刻前といえばまだ宵の口だろうに」

と訊《き》いた。

「若親分、よく聞いてくれました」

繁三が亮吉から政次に話し相手を替えて、手にした盃の酒を飲み干した。

「夕暮れ前、鎌倉河岸から根津権現近くまで客を送っていったと思いねえ。向こうを出たのが六つ半（午後七時）前かねえ、不忍池《しのばずいけ》の大下水近くまで戻ってきたとき、夕涼みの客が池の端にちらほらといた、蛍も飛び始めてもいたしな。東叡山《とうえいざん》領下谷茅町《かやちょう》の路地でさ、武家が、駕籠屋と呼んだんだ。それでおれたちが道を渡ってそっちに向かおうとしたらよ、別の駕籠屋が明かりを揺らして近付いていくじゃねえか。ちえっ、おれたちが呼ばれたんじゃねえや、と足を止めたときよ、駕籠を呼んだ侍に向かって、着流しの影がすうっと忍び寄り、駕籠屋の提灯《ちょうちん》の明かりに刀の刃がきらりと光って、ばさっと肩口から首筋を斬り割り、さあっと寺町の方へと逃げ去ったのさ」

「兄弟、一瞬の間だったたな」

と無口の梅吉《うめきち》が言う。

辻斬りを見て興奮しているらしい。

「斬られたお侍の傷はどんな具合に見えました」

「駕籠を放《ほう》り出して見にいったが、駄目だ駄目だ。なにか呻《うめ》いた後、激しい痙攣《けいれん》に見舞われてよ、すぐにばったりと動かなくなったもの。死んだよ、若親分」

「おれたちより近くで辻斬りを見ていた駕籠屋なんぞ、びっくりして腰を抜かしていたぜ。近くの家から飛び出してきた土地の人が万蔵親分のところに知らせに駆けつけてよ、そいつを確かめておれたちは戻ってきたところよ」

「ご苦労でしたね、繁三さん、梅吉さん」

と政次が二人を労《ねぎら》い、酒を運んできたしほの手から徳利を取り上げると二人の盃を満たした。

しほが政次たちの酒器を用意した。

「辻斬りの様子はどうでした」

政次はさらに聞いた。万蔵親分の事件の邪魔をする気はない。だが、辻斬りが縄張り中で新たな騒ぎを起こすとも限らない、そのときのために訊いたのだ。

「身丈は大きいが細い体付きでよ、なにしろ動きが機敏というか、無駄がないというか、刀が煌《きらめ》いたときには、ばさっと刃が羽織袴《はかま》の侍の首筋に打ち込まれてよ、次の瞬間には寺町の方角へ逃げ去っていた。おれたちが瞬きする間の出来事だぜ」

「繁三さん方は客商売だ。見ただけで客の懐具合からなにが仕事か、分かりましょうな」

「若親分、自慢じゃねえが、やばい客の見分けはつくぜ」

「だが、気前のいい客の見分けがつかねえ」

と無口の梅吉が混ぜっ返した。

「繁三さん、着流しの辻斬りの年恰好《としかっこう》はどうだね」

「若い体付きに見えたが、おれは三十前後と見た」

と繁三がいい、梅吉も同意するように頷いた。

「浪人者か」

と亮吉が聞く。

「そこだ。分からないのは」

「どういうことだ」

「浪人が金に困っての辻斬りじゃあねえ、だって斬られた侍の懐なんぞ、全然気にもしなかったもの」

「それで」

「あいつは斬り付けることに関心があるんだぜ、そんな按配《あんばい》だったもの。となると金に困っている奴ではねえ。殺しが楽しみなんだ、きっと」

「すると、また辻斬りを繰り返しますよ」

「おれな、どこぞの屋敷の若様がよ、浪人風に装って辻斬りをしてんじゃねえかと思うな」

と繁三が言う。

「繁三さんよ、さっき三十と言ったじゃないか。となると若様という年恰好じゃあねえぜ」

と亮吉が反論する。

「三十の若様っておかしいか、どぶ鼠」

「若様とくりゃあ、せいぜい十七、八までだ」

「へえっ、そんなことがあるけえ。世の中には三十の若様がいてよ、辻斬りを道楽にしておられるんだよ」

と際限なく亮吉と繁三が言い合うところへ彦四郎が姿を見せた。

「なに騒いでんだよ」

「彦、年が三十の若様っているか、いねえよな」

と亮吉がやり取りを説明した。それを聞いた彦四郎が、

「いて不思議じゃねえさ。二十歳を過ぎて独楽《こま》鼠だの、どぶ鼠だの、人扱いされない人間もいらあ」

「ちえっ、真面目に聞きやがれ」

政次は亮吉がむくれるのを見ながら、

(三十の若様)

がこの世に存在するかどうか考えていた。

二

駕籠かきの繁三が、

「三十の若様」

と評した辻斬りは予想されたように犯行を繰り返すようになった。

一番手の現場は兄弟駕籠屋が遭遇したように不忍池の西側上野茅町で、御書院番松《まっ》平《だいら》寛之助《ひろのすけ》の家来日野《ひの》辰蔵《たつぞう》を一撃に屠《ほふ》った。

その三日後、不忍池の南、湯島三組町《みくみちょう》に辻斬りは現れた。

刻限はやはり夕間暮れ、人通りが絶えた通りで御家人御徒目付《おかちめつけ》鈴木《すずき》敬吾《けいご》を襲って、首筋を狙《ねら》い斬りして斃《たお》し、さらにその五日後の夕刻には神田川を越えて昌平橋《しょうへいばし》際の幽霊坂に出没し、通りかかった定火消斎藤《さいとう》八右衛門《はちえもん》家の与力神保《じんぼ》稲吉《いねきち》を襲い、斃していた。

三番目の辻斬りは金座裏の縄張り内とはいえなかったが、金座裏の宗五郎《そうごろう》、政次親子と手先らは現場へと駆け付けた。すでに三河町の志之助《しのすけ》親分が出張っていたが宗五郎は初老の志之助に挨拶《あいさつ》して、

「三河町の、後学のためだ。斬り口を見せてくれまいか」

と許しを願った。

「おおっ、金座裏か。好きにするがいいぜ。辻斬りの奴、どんどんと御城に近付いていやがる。次は金座裏の縄張り内かもしれねえや。ともかく一日でも早くふん捕まえることったぜ」

と志之助自らが金座裏の一行にすでに戸板に乗せられていた神保稲吉の亡骸《なきがら》を案内して確認させた。

宗五郎らはまだ温もりが残る仏に合掌して、首筋の斬り口を診た。

左肩口から首筋を斜めに深く抉《えぐ》られ、大量の出血を呼んだか神保の顔が真っ白に見えた。

「三河町の、わっしらは辻斬りに遭ったお侍を見るのは初めてだ。おまえさんは先の二件の仏をご存じかえ」

「一件目は知らねえ。だが、二件目の湯島三組町の辻斬りの傷は見た。此度と全く斬

り口が一緒だったぜ。肩口から首筋に斜めに斬り下ろされていた」
志之助親分の説明を聞きながら、政次は仔細に刀傷を調べた。辻斬りに使われた刀はなまくらではなかった。名のある刀工が鍛造した刀で、
すぱっ
と見事な手練の斬り口だった。
肩口の骨を斬り割った刃は、首下を斜めに右脇腹へと一文字に斬り下げられていた。
政次は辻斬りの鮮やかな技に感服すると同時に、
もやっ
とした疑いを抱いた。このもやっとした感触がなんなのか、説明が付かなかった。どす黒くも座りの悪い思いが胸の底に残った。
「この若い衆は金座裏の若親分かえ」
という志之助の言葉に政次は慌てて顔を上げた。
「挨拶が遅れました、三河町の親分さん。駆け出しの政次にございます」
と言う政次に、
「三河町の、おれの後継だ。よろしく引き回しの程、頼むぜ」
と宗五郎も言葉を添えた。

「金座裏の、いい若い衆を十代目に持ちなさったたねえ、いい面魂《つらだましい》だぜ。これで万々歳だ」

亡骸を挟んで挨拶のやり取りが続き、志之助が、

「金座裏の、政次さんや。辻斬りが二番目に襲った御徒目付だがな、剣術の腕前は目付屋敷でも三番には入ろうという腕の持ち主だったそうな。それが刀の柄《つか》に手を伸ばしかけ、そこで斬り下げられていた。いかに辻斬りの技が迅速か、分かろうというもんじゃないか」

志之助は、初めて辻斬りの斃した亡骸に接した金座裏の一行に惜しげもなく情報を伝えてくれた。同じ北町奉行所から鑑札を貰《もら》う御用聞き同士とはいえ、なかなか出来ることではなかった。

「三河町の、随分と参考になった。ともかくうちも明日から夕暮れ前から手先たちに町廻りをさせよう」

「金座裏の縄張りは町屋が多いからな。そっちには出没しめいとは思うが、なにしろ辻斬りの気持ち次第だ」

志之助が言うところに、神保稲吉が所属する定火消齋藤家から用人らが駆けつけてきた。

宗五郎はすいっと立ち上がり、さらに亡骸に向かって黙礼すると現場から離れた。

政次は一人だけ現場に残ることにした。

神保稲吉の剣の腕前を知りたいと思ったからだ。

四半刻後、政次が鎌倉河岸の豊島屋に立ち寄ると、宗五郎ら一行が清蔵《せいぞう》と話をしていた。

「おおっ、若親分、戻ってきなさったか」

と目敏《めざと》く政次を認めた清蔵は、

「しほ、若親分のご入来だ。熱いところをどんどん持ってきておくれ」

と命じた。

新たに席が作られ、車座の一行の中に政次も加わった。

「ご苦労様」

白地に朝顔を染め出した浴衣《ゆかた》を涼しげに着たしほが政次を迎えた。

政次はその浴衣がおみつに教わりながら、しほが縫い上げたものと気付いた。だが、口にはしなかった。

「どうだったえ、政次」

と宗五郎が聞く。

「神保稲吉様は三十六歳、神夢想林崎流《しんむそうはやしざき》系の居合いをよく遣われる腕前にございましたそうな。本日は御用で川向こうに参られ、屋敷に戻る道中だったようでございます。屋敷近くに戻ってこられて辻斬りに遭われた。これまで二件の辻斬りと同じく懐中物は残っておりました」

「居合いの達人が防御できなかったか」

「気配を見せないのか、よほど迅速なのか」

政次の自問するような言葉に頷いた宗五郎が、

「政次、三件の辻斬りが発生した日だがな、格別に暑くなかったか」

「そういえば今日もあの辻にじっとりとした暑さが漂い残っておりました。暑さのせいで神保様も御徒目付の鈴木敬吾様も注意力を散じたのでございましょうか」

「ありうる話だ」

「明日っから町廻りをするとして、どこを中心に回りますか」

「まず町屋は人の通りも多いし、これまでの経緯から考えて武家地だろうな。となると三河町の縄張り内か」

「続けざまに昌平橋界隈《かいわい》に出ましょうか」

「それだな。うちの縄張り内で武家屋敷となるとお玉が池か」

と宗五郎が縄張り内にただ一つ固まった武家地を口にした。

神田川の和泉《いずみ》橋の南側のお玉が池辺りは、元誓願寺《もとせいがんじ》前とも呼ばれた。近江仁正寺《おうみにしょうじ》藩一万八千石、市橋家の上屋敷を中心に寄合《よりあい》組など、旗本御家人屋敷が小さく固まっていた。

「ならば内々をまず固めるか」

「はい」

と明日の手配りは終わった。

「それにしても、まだ人の目がある夕暮れに出るなんて、なんとも大胆な辻斬りですよ」

と清蔵が言う。

豊島屋の大旦那はなにより捕り物話が大好きなのだ。宗五郎を始め、若親分の政次に手先と大勢が顔を揃《そろ》えただけで胸がわくわくしていたのだ。

小僧の庄太《しょうた》が大皿に味噌田楽《みそでんがく》を山盛りにしてきて、車座の中にでーんと置いた。すると味噌の風味の間から山椒《さんしょう》の香が漂ってきた。

「頂き」

と亮吉がまず最初の大ぶりの田楽に手を伸ばす。

鎌倉河岸の豊島屋の普段の名物は、下り酒とこの田楽なのだ。

「大旦那様、話さなくていいのですか」

と庄太が清蔵に言う。

「話すってなにをですね」

と問い返した清蔵が、

「これはしくじった」

と膝《ひざ》を片手で叩《たた》き、

「今日の昼下がりのことですよ。政次、彦四郎、亮吉の三人を名指しでこの店にはよく顔を出すかと聞いた侍がありましてな」

「侍だって、どこのだれだえ」

亮吉が田楽を頰張《ほおば》りながら聞いた。

「名乗りませんでしたよ。大名家に仕える若い奉公人と思えました。江戸暮らしに慣れておいでではないかな。持ち物などを見ての推量ですがね」

「勤番者は一人かえ」

「亮吉、勤番者と決め付けるほど野暮ではなかったよ。店に入ってきたのは一人でしたが、庄太、河岸に仲間がいたんでしたな」

「二人、待ってました」

彦四郎が政次を見た。

だが、政次はなにも言わない。互いの胸の中は分かっていた。

「旦那はなんと答えたんだ」

「ときに来たりこなかったりと曖昧《あいまい》な返答をしておきました。それじゃあ不足かい、亮吉」

「おれたち、むじな長屋の三人組も近頃では江戸で名が売れてよ、女たちがはっといてくれねえからね。ちょいと迷惑だよ」

「そんな話、初めて聞きました」

と庄太が亮吉の答えに呆《あき》れた。

「とりわけ亮吉にそんな話はございませんな。第一女が訪ねてきたわけではない、侍ですよ」

「まあ、なんにしても人の口に上るほど名が知れ渡ったというわけだ」

「勝手なことを」

鎌倉河岸の夜は賑《にぎ》やかに更けていった。

次の日の昼下がり、政次は亮吉を伴い、神田多町《たちょう》の青物市場近く銀《しろがね》町に青正《あおしょう》を訪ねた。この家の離れで女剣士の永塚《ながつか》小夜《さよ》と一子の小太郎《こたろう》が江戸暮らしを始めていた。

広い青正の店先はがらんとしていた。扱うものが青物である。朝の間の涼しい刻限が勝負の商いだ。

「おや、金座裏の若親分」

と薄暗い店の奥から声がかかった。

隠居の義平《ぎへい》だ。なんと江戸でも有数の青物問屋の隠居は、小太郎を背におぶって手にがらがらを持ち、お守をしていた。

「ご隠居、青正には女衆はいねえのかえ」

と亮吉が大声を上げた。

「馬鹿野郎、今ようやく小太郎様が眠ったところだ。間抜けな声を上げるんじゃないよ」

と義平が応じた。

「亮吉、天下の青正だ。うちにも十人やそこいらの女衆くらいおりますよ。だがな、永塚小太郎様はお武家様のお子だ。台所女中なんぞに世話をさせられるものか」

「それで隠居自ら背におぶって歩いておられるんで」

と亮吉が呆れたところに青正の当代の主正右衛門《あるじしょうえもん》が姿を見せた。なりから見て、どこかへ外出する様子だ。

「政次さん、亮吉、暑いね」

と話し掛けた正右衛門は、

「うちの子はもう十をとっくに超えました。お父っつぁんに言わせれば、孫も三つ四つまでが可愛《かわい》い盛り、十を超えると悪態しかつかなくて可愛くないんだそうです。それでこのところ小太郎様の世話に熱を上げているんですよ」

「そんなことだろうとは思ったが、大店《おおだな》の隠居がやるこっちゃねえぜ」

と亮吉が言う。

「小夜様は道場ですか」

「若親分、三島町の林《はやし》道場ですがな、近頃では亡くなられた林幾太郎《いくたろう》様が教えておられた時代より、青物市場の若い衆なんぞが小夜様目当てに弟子入りしてさ、盛況なんだそうだ。忙しいたらありゃしない。今頃も稽古《けいこ》の最中ですよ」

と永塚小夜の動静を義平が告げた。

「ご隠居、小夜様がどうしておられるか、顔出ししたんです。三島町の道場を覗《のぞ》いてようございましょうか」

「若親分が顔出しすると、小夜様も喜ばれますよ」

と答える義平に正右衛門が、

「若親分、私も三島町の方へ行きますのさ、ご一緒しませんか」

と誘ってくれた。

「ご隠居、せいぜい小太郎様を大事にな」

亮吉が冷やかしたが義平は動じる風もなく、

「小太郎様は顔立ちがいい。大きくなったら、この界隈の娘がちょっかいをかけてきますよ、よくよく注意しておかなくてはな」

と大真面目に答えたものだ。

青正の当代の旦那と金座裏の二人は、青物市場の建物を見ながら鍋《なべ》町へと向かった。その先が今夕から政次たちが辻斬りの警戒にあたるお玉が池界隈だ。三島町はその武家地の手前に小さくあった。

「正右衛門さん、八百亀《やおかめ》の口利きで小夜様親子を青正に押し付けたようだが、迷惑ではございませんか」

「若親分、一家眷属《けんぞく》奉公人までが小夜様と小太郎様の虜《とりこ》だ。若いのに礼儀を心得ておられ、高ぶらない。ただ今の親父《おやじ》の恰好を見られたでしょうが、めろめろとはあのことだ。道場のほうも一緒でねえ、なんでも伺ったところによると小夜様の仙台城下の実家も町道場だったとか。教え方がきびきびしていて、優しく上手なんだそうだ。うちの奉公人が何人か、弟子入りしましてねえ、女師匠にぞっこんです」

「それはよかった」

「というわけで迷惑どころか、うちでは大歓迎。その上、夜盗が入っても小夜様がおられれば大安心と、いいこと尽くめですよ」

正右衛門が笑った。

「それにさ、林様の残された内儀とお嬢様がなによりほっとなされておられます。幾太郎先生が亡くなられた後、一家でどうやって暮らしていこうかと途方に暮れていたところを小夜様が道場を引き継いでくれた。そのうえに親父様の時代より門弟が増えたんです。稽古代は折半の約束ですから、実入りも親父様の頃より増えたってわけなんで」

林道場を小夜が借り受け、家賃として門弟の稽古代を折半する約束になっていた。

そのことを正右衛門が言ったのだ。

「林家も小夜様もうちも得、三方丸く納まったという奴だ」

三人が三島町に入っていくと竹刀《しない》で叩き合う音が通りまで響いてきた。

政次は林道場の前を通ったことはあったが、林幾太郎も道場の様子も知らなかった。

「なんだか道場の前も先代の頃より小綺麗《こぎれい》になっているぜ」

と亮吉が呟く。

政次は通りに接した道場の格子窓にすがって中を覗く深編笠《ふかあみがさ》の侍に注目した。

一見奉公者か浪人か区別がつかなかった。身形《みなり》は悪くない、仙台平の袴も折り目が綺麗に入っていた。

涼しげな風采《ふうさい》になにか妖《あや》しげな雰囲気が混じっているようにも思えた。気配を感じたか、深編笠の武士は、
すいっ
と格子窓を離れて、紺屋《こんや》町の方へと姿を消した。その物越しはなかなかの腕前を思わせた。

「若親分、小夜様たら、この界隈の侍まで虜にしたようだな」

亮吉がそう言い、付け加えた。

「小太郎様がおられるとは思えないくらい若々しくてよ、まるで娘だ。美形の上に腕も立つからな」

「亮吉さん、小夜先生はなにより指導のこつを承知だそうだ。男の門弟にも女の弟子

にも分け隔てなく懇切丁寧に指導なさるそうですよ」

「それは門弟が増える道理だ」

林道場の前で正右衛門と別れた。

林道場は赤坂田町の神谷丈右衛門道場のように江戸で名の知れた町道場ではない。三島町の片隅で、ひっそりと土地の剣術好きに手解《てほど》きして暮らしを立ててきた慎ましやかな町道場だ。

通りから数歩入ったところに狭い玄関があって、上がり框《がまち》には竹蔓の花器が置かれ、鉄線花が生けられていた。

六弁の紫色の花がひっそりと咲く気配がただ今の林道場の佇《たたず》まいと雰囲気を表しているようで、二人には好ましげに感じられた。

「頼もう」

亮吉がふざけて道場の奥へ叫んだ。

「お待ち下さい」

と小夜の声がして、総髪《そうはつ》を後頭部で束ねた小夜が玄関に出てきて、二人を見ると、

「まあっ」

と驚きの声を発した。

三

「小夜様、お邪魔してようございますか」

「大いに歓迎致します」

とようやく笑みを顔に浮かべた永塚小夜が、

「神谷先生のお道場とは比較にもなりませぬ、小さな町道場にございます」

「拝見させて下さい」

政次と亮吉は玄関から狭い廊下を隔てた道場に入った。

広さは三十坪もあるかなしか、高床の見所《けんじょ》もなく、正面の壁の上に神棚が設《しつら》えてあるだけの簡素なものだった。通りに面して先ほど深編笠の侍が覗いていた格子窓が二つ切り込まれ、その反対の壁にも窓があって、風が吹きぬけていた。

梁《はり》がむき出しに見える天井は竹刀を十分に振り上げられるだけの高さがあった。

林道場で十数人の男たちが稽古をしていた。半数以上が町人で、多くの者は稽古着は着ず、着古した袷《あわせ》の裾《すそ》を後ろの腰帯に挟み込んだだけの若い衆もいた。

「若親分」

「金座裏の若親分かえ」

「あれ、鎌倉河岸のどぶ鼠もいるぞ」

と声がした。

青物市場の若い衆で豊島屋の常連、玄太《げんた》と磯松《いそまつ》だ。

二人は裾を絡げた恰好に面金《めんがね》と小手と古びた防具を付けていた。どうやら二人で打ち込み稽古をしていたようだ。町人に混じって二、三人浪人と思える者もいた。

稽古が二人の訪問で中断した。

「ちょうどいいや、若親分。稽古の相手をしてくんな」

と壁際で一人竹刀を振り回していた若い衆は青正の奉公人で兼次郎《けんじろう》だ。

「これ、兼次郎どの、失礼なことを申されるでありません。政次若親分は神谷丈右衛門先生の愛弟子《まなでし》、それも五指に入る高弟です。兼次郎どのの腕前では打ち込み稽古にもなりませぬ」

「小夜先生よ、政次若親分がさ、なかなかの腕前と鎌倉河岸で耳にするけどよ、こちとらは朝の早い商売で知らないもの、ちょうどいいじゃねえかな」

と兼次郎が頑張った。

青物市場は魚河岸と並んで、意気と張りの世界だ。奉公人たちも気風《きっぷ》と威勢に生きていた。

江戸町人の考え方をまだ知らぬ小夜が困惑の表情で立ち竦《すく》む。

「おい、兼次郎、おまえの相手はこの独楽鼠の亮吉様で十分だ。修羅場で鍛えた十手捌《さば》きをご披露申そうか」

「どぶ鼠の兄い、おめえには悪いがよ、おれはどうせ殴られるなら若親分がいいや」

小夜がますます恐縮した。

「私でよければお相手致します、兼次郎さん」

政次は羽織を脱ぎ、腰の背に斜めに差し落とした銀のなえしを抜いた。

亮吉が二つを受け取りながら、

「兼次郎、若親分に脳天殴られて正気に戻れ」

「おれはいつだって正気だぞ、おまえと違わあ」

「いや、今日のおめえは小夜先生に懸想して血走っていらあ」

「おきやがれ、亮吉」

図星をつかれたか、兼次郎は赤く染まった顔に面金と小手を急いで着けた。

小夜が竹刀を手に、

「若親分、いきなりの非礼お許しください」

と謝りながら竹刀を差し出した。

「この界隈ではこれで当り前なんです。だれもが子供の時分から見知った仲ですから遠慮は無用です」

竹刀を受け取った政次が軽く振って、稽古が中断された道場の真ん中へと進んだ。

「若親分、小夜様がうちの離れに引っ越してこられてよ、林道場を引き継がれた初日に弟子入りした兼次郎だ。道場でも古株だ」

と威張った。

「二月も経《た》たぬという古株か。腐った蕪《かぶ》のほうじゃねえか、やっちゃ場の兄さん」

亮吉の言葉に政次が苦笑いして、

「兼次郎さん、お願い申します」

と竹刀を正眼に構え、真剣な顔に戻した。

「よし」

兼次郎は自らの気持ちを鼓舞するように言うと竹刀を高々と突き上げ、上段の位置に移した。

政次はそのとき、格子窓に再び深編笠の侍が戻ってきたことを察知した。だが、振り向きもしない。

兼次郎が上段に構えた竹刀の切っ先を動かしながら、前後左右に飛び跳ねた。その行動で政次の隙《すき》を窺い、攻撃しようという魂胆だった。

すいっ
と政次が前に出た。

「おっと」

と言いながら兼次郎が後ろに下がった。だが、当人は自らの行動を全く理解していないようで、腰を浮かしたままで飛び跳ね続けた。

さらに政次が誘いを掛けるように前進した。

また兼次郎が下がった。

そんなことが繰り返され、兼次郎の背は壁にくっつきそうになった。

「古蕪兼次郎、もはや後ろに逃げられねえぜ」

と亮吉が大声で教えると、

「馬鹿野郎、勝負の最中に大声を上げるねえ。こちとらの気持ちが乱されらあ」

と兼次郎が叫び返し、後ろを振り見て、

「あれ、いつの間に壁が移動してきやがったんだ」

「だから、言ったろう。若親分に追い込まれたんだよ。おめえは雪隠詰《せっちんづ》めだ、もはや逃げ場所はねえぜ」

「糞《くそ》っ、どぶ鼠！」

と叫び返した兼次郎が、

「香車《きょうしゃ》はいつ何時だって下がらねえんだよ、見てろ」

というと上段の竹刀を立てて突進し、政次の面を殴りつけようとした。

政次の竹刀が兼次郎の力任せの面打ちを軽く、

ぽん

と弾《はじ》いた。

「おっと」

と声を洩《も》らした兼次郎が腰をよろめかせ、とっとっと、横手にたたらを踏んで最後には足をもつれさせて床に転がった。

「あれ、おかしいな。床がおれの顔の前にあるぜ」

兼次郎が負け惜しみを言いながら、胡坐《あぐら》を搔《か》いて首を捻《ひね》った。

「兼次郎、まだ分からねえか。おめえのはまだ剣術になってねえんだよ」

「どぶ鼠にだけはその言葉は言われたくねえ。今晩には鎌倉河岸じゅうで噂《うわさ》を撒《ま》き散らしていやがるぜ」

と兼次郎が悔しがった。

「兼次郎どの、いかに無謀なことをなされたかお分かりか」

小夜も困惑の表情のままにいう。

面金を脱いだ兼次郎が、

「師匠、弟子の敵《かたき》を討ってくんな」

と今度は小夜を嗾《けしか》けた。

「身の程知らずにも永塚小夜、神谷道場に道場破りに伺って、政次どのと手合わせ致しました」

「女とはいえ小夜様は剣客だ、町人に負けるわけはないやな。やっつけたろう」

「だから、身の程知らずと申し上げました。政次どのに軽くあしらわれ、江戸がいかに広いか知らされました」

「なにっ、政次さんに負けたのか」

「勝負にもなにもなりませぬ」

小夜がからからと笑った。

「だってよ、小夜様は小太刀《こだち》の名手でしょうが」

「はい。私も子供の頃から父に男の門弟と一緒に厳しく鍛えられ、それなりの自信もございました。だが、この政次若親分に小夜の鼻っ柱をあっさりと叩き折られました」

「驚いたな」

「がっかりなされましたか、兼次郎どの」

と小夜が微笑《ほほえ》んだ。

「兼次郎、おめえらが知るまいからよ、この独楽鼠の亮吉が永塚小夜様の腕前を講釈申し上げようか。確かに政次若親分には一歩引けをとったがよ、江戸の名立たる道場が小夜様の小太刀にひれ伏したんだぜ。こいつは冗談じゃねえ、兼次郎、おめえの師匠はそんなお方だ。一月や二月の棒振りで、うぬぼれんじゃねえぜ」

うーむ
と唸った兼次郎が、

「まともなことを言われただけに堪《こた》える。亮吉だけには言われたくねえ台詞《せりふ》だ」

と呻いて、仲間たちがどっと笑った。

「よい機会です。政次どの、小夜に稽古をつけて下さい」

と小夜が道場の床に正座して願った。

「小夜様、どうかお立ち下さい。それでは話にもなりませぬ」

とこちらも困惑の表情の政次に小夜がさらに稽古を願い、二人は打ち込み稽古をすることになった。

小夜は短めの竹刀を、政次は借り受けた定寸の竹刀で対決した。

勝負ではない。稽古だ。

それでも二人の剣術巧者の打ち込み稽古は、一瞬も途切れることなく攻守が交代しながら続き、見る兼次郎たちに、

「これが本物の打ち込み稽古か」

と感嘆の声を洩らさせた。

四半刻ほど谷川を下り流れる水のような、澱《よど》みなき稽古が続き、阿吽《あうん》の呼吸で二人は竹刀を引き合った。

「政次どの、有り難うございました。小夜、久しぶりに爽快《そうかい》な汗を掻きました」

「失礼ながら赤坂田町に参られた折の小夜様は追い詰められた獣のようで、気持ちに余裕がございませんでした。ただ今の竹刀捌き、なんとも自由自在で伸びやかです」

と応《こた》えた政次は、

「小夜様、ときに赤坂田町に稽古に参られませぬか」

と誘った。

「神谷先生がお許しなされましょうか」

「神谷先生は心の広い方です。永塚小夜様を大いに歓迎されますよ」

「未《いま》だこちらの道場経営に自信がございません。そんな折に神谷道場に稽古に伺ってよいか迷いますが、訪ねとうございます」

永塚小夜ほどの剣客だ。兼次郎らのような棒振りを相手の指導で満足できるはずもない。

「先生に私からもお頼みしておきます」

「お願い申します」

林道場の狭い庭に石榴《ざくろ》の木があって、その下に井戸があった。その井戸端で政次と男の門弟たちは流した汗を拭《ふ》き取った。

その場に亮吉の姿はなかった。

爽《さわ》やかになって道場に戻ると小夜も着替えていて、盆に冷えた瓜《うり》を載せて運んできた。

「青正様からの頂き物です。朝から冷やしておきました。皆で頂戴《ちょうだい》しませぬか」

と小夜が言い、

「あら、亮吉さんの姿が見えないけど」

とそのことに気付いた。

「小夜先生、どぶ鼠は神出鬼没だ。ほっときねえ」

と兼次郎が言い、瓜に手を伸ばす。

「でも、おかしいな。あいつは食べ物と飲み物には目敏い奴だ。若親分、鼠は、瓜は食わねえかね」

と首を傾げた。

小夜も訝しい顔をしたが、政次が平然としているのでそれ以上口にしなかった。

「小夜様、辻斬りの話を聞かれましたか」

「辻斬りが流行《はや》っておりますか」

「これまで剣術の手練《てだ》ればかりを狙って襲い、ただの一撃で命を奪っております。斬り口はどれも左の肩口から首筋を狙うもので、懐の金子《きんす》には目もくれていません」

「仙台城下でも私が子供の頃に辻斬り事件がございました。目付が必死になって追い、捕まえてみたら腕自慢の伊達《だて》家の家来でした」

「こっちもどうやら自分の腕を確かめたくて辻斬りを繰り返しているようです」

と政次が小夜に注意し、兼次郎が、

「そいつは夕暮れどきにしか出ないというのはほんとかえ」

と聞いてきた。

「これまでの三件はそうだ、兼次郎さん」

「なんとも大胆じゃねえか」

「これまで犠牲になられたお三方は何《いず》れも剣術の心得がある方ばかりです。それがまともに刀を抜き合わせる余裕もなく斃されております」

政次は駕籠かきの繁三が感じた、

「三十の若様」

の印象を語った。

「亮吉は若様とは十七、八歳までのことで、三十の若様などあるものかと繁二さんに反論したのですが、私はなんとなくこの言葉が気になっております」

政次は立ち上がり、

「ぼちぼち辻斬りの出る刻限、金座裏でも町廻りに出ます」

と言うと亮吉が道場の片隅に置いていった銀のなえしを背に戻し、羽織を手に神棚に一礼した。

玄関先まで小夜が見送りにきた。

「小夜様、辻斬りがこの界隈に出ないとも限りません。気をつけて下さい」

「畏《かしこ》まりました」

と小夜が受けて、

「若親分、有り難う御座いました」

と道場の具合を気にかけてくれた政次に礼を述べた。

「小夜様ならば道場の女主、十分に務められます、本日の様子を見てひと安心しました」

最後に言い残すと、政次は三島町の通りに出た。

夕暮れ前の通りを西を目指す。

政次の行く手から淡い残照が降り注いでいた。

往来する職人の横顔が夕日に染まっていた。

交差する元乗物町の辻で方角を神田堀へと変えた。今川橋を渡ろうとすると後ろからばたばたと草履の音がして、

「若親分よ」

と亮吉が追っかけてきた。

「深編笠の侍を追ったか」

「確かに袴は履いていたが、着流しにすれば細身の辻斬りの恰好に変わるしな。目の執拗《しつよう》な感じが気にいらねえや」

と亮吉は独断の行動を認めた。

「あいつ、辻斬りかどうかは別にして、後ろ暗い奴だぜ」

「まかれたか」

「そこまで見抜かれていたか」

と亮吉がぼりぼりとを掻いた。

「あの野郎、おれが尾行していたなんて知らない素振りでよ、神田川に架かる和泉橋を渡ったと思いねえ。まだ明るさが町に残っていたしな、あいつが神田佐久間町へ悠然と曲がったとき、間をおかずおれも佐久間町の通りを覗いたんだ。だけどよ、野郎の影もかたちもねえや。あいつ、気配も感じさせずにどこぞへ姿を掻き消しやがった」

と説明した亮吉は、

「どこから気付いていてやがったかな」

と首を捻った。

「確かにあの様子は後ろ暗いようだ。なあにそのうち、尻尾《しっぽ》を出すよ」

と政次は自らの判断で行動した亮吉を心の中で、

（金座裏で無駄飯は食ってきてない）

と認めていた。

二人が金座裏に戻りついたとき、すでに辻斬りを警戒する町廻りの仕度を終えた八百亀や常丸《つねまる》たちが待っていた。

「遅くなった、すまない」

と詫《わ》びる政次に、

「内与力の嘉門様が見えられて、親分と一緒に出かけられましたぜ」

と八百亀が報告した。

水戸の一件でなにか進展があったか、政次はそう考えたが気持ちを切り替え、辻斬りの見回りに集中することにした。

「さて出かけようか」

御用提灯を持った波太郎を先頭に、金座裏の面々が二組に分かれて家を出た。一組は八百亀に指揮されて町屋を見回る組で、もう一組は政次が指揮して武家地を警戒する組だ。

四

政次らの武家地組は、金座裏から神田川の筋違御門に出て、夕涼みの客がそぞろ歩く柳原土手をゆっくりと東に下った。

昼間は古着を扱う露天が並ぶ柳原土手も夕闇に薄く沈んで、なんとなく風情があった。

「若親分、小夜様はどうだったえ」

若い手先の兄貴分の常丸が政次と肩を並べ、訊いた。

「さすがに町道場主の娘御だよ、教え方にそつがない。弟子が一気に二倍にも三倍にも増えたというが理由が分かる」

「なんたって小夜様は美人の上に小太刀の名手だからな、小夜様に打たれてやに下がる連中が大勢いたぜ」

と亮吉が政次に口を揃えた。

「女浄瑠璃《じょうるり》じゃねえや、手直しされてにやつく馬鹿もいめえ」

「常丸兄い、それがそうじゃねえんだよ。ぴしゃり、と腕を叩かれたりよ、手首の癖を直されて、おありがとうございましたと相好《そうごう》を崩す連中ばかりで、剣術の稽古なんだかなんなんだか」

「亮吉みてえな連中が詰め掛けてんのか」

「青正の兼次郎とかさ、青物市場の玄太や磯松が小夜様の道場の常連だ」

「鎌倉河岸が三島町に引っ越したみたいだな」

「そうなんだよ、兄い」

と応えた亮吉が小夜の林道場の格子窓にへばりついて覗いていた深編笠の侍について常丸らに告げた。

「なにっ、亮吉はまかれたってか」

「小夜様の颯爽《さっそう》とした指導ぶりなんぞを思い出して、つい目をそらしたんじゃねえんで」

と波太郎にからかわれた亮吉が、

「波太郎、そんなんじゃねえや。あいつは油断ならねえ相手なんだよ」

「ともかく亮吉兄いより相手が一枚上手《うわて》だったんですね」

「悔しいがそういうことだ」

一行は柳原土手和泉橋に差しかかっていた。

「若親分、辻斬りと思いなさるか」

「そこまでは言い切れないね。繁三さんが三十の若様といった風情とはどことなく違うような気もする」

「若親分、まだ酔っ払いの言うことなんぞを気にしているのか」

亮吉が口を尖《とが》らせたとき、柳原土手の一角で、
きゃあっ
という若い娘の叫び声が響いた。
それっ！
とばかり亮吉、波太郎を先頭に柳原通から土手に這《は》い上がり、声のした土手下へ走り下ろうとした。
波太郎の手の御用提灯の明かりに、二人の男女に襲いかかり、懐中物を強奪した七、八人の無頼者の影が浮かんだ。
「野郎ども、金座裏の若親分の出張りだ。この界隈での無法は銀のなぇしが許さねぇんだよ！」
と亮吉が叫び、夕涼みの男女を襲う男たちが、
きいっ
と走り寄る政次たちを振り見て、
「やばいぜ、木枯しの兄い！」
「糞ったれが、肝心な時に邪魔に入りやがって！」
と一味の頭分が政次たちを睨《にら》んだ。

匕首《あいくち》や木刀を手にしているらしく、川向こうの常夜灯の明かりを受けた匕首がきらきらと光った。また舟を神田川に繋《つな》いでいるのか、何人かは土手下へと走り逃げようとする気配を見せた。

政次たちとの間にはまだ十数間と間があった。

「野州無宿木枯しの亀造《かめぞう》、てめえは五年も前に江戸十里四方所払《ところばら》いになったはずだな！」

と逃げ出そうとする動きを止めようと常丸が一喝した。

「畜生！」

一旦《いったん》川へと逃げようとした亀造らが振り向いた。その間に政次たちが間を詰めた。

「江戸に入った途端に金座裏の岡っ引きに出遭うなんぞはついてねえ。よし、野郎ども、江戸に戻った挨拶代わり、手先どもを叩きのめせ！」

亀造が叫び、江戸の事情に疎《うと》い仲間たちが、

「おう！」

「江戸の御用聞きなんぞ、への河童《かっぱ》だ」

とばかり手にしていた木刀やら匕首を翳《かざ》して、立ち向かおうとした。

政次は亀造の一味が六、七人、さらに舟に船頭役を一人二人残していることを見た。

「亮吉、広吉《こうきち》、舟を抑えよ！」

政次の命が飛び、

「合点だ！」

とばかり、すでに十手を翳した亮吉と広吉の二人が土手下へとふっ飛んでいく。その場に残ったのは政次、常丸、波太郎の三人だけだ。

「久しぶりだな、亀造」

と十手を片手に翳した常丸が言うと、木枯しの亀造の顔が波太郎の掲げる御用提灯の明かりに浮かんだ。所払いの沙汰《さた》を受けて、どこでどう世過ぎ身過ぎを立ててきたのか、陽《ひ》に焼けた顔は獰猛《どうもう》な野犬の面付に見えた。

政次は、
すいっ
と亀造の横でがたがたと震えて怯《おび》える若い男女の前に身を入れた。どこぞのお店の若旦那とお嬢さんの逢引《あいび》きか、そんな風体をしていた。

政次と亀造は一間余りの間合いで睨み合うことになった。

「もう大丈夫ですよ、下がりなせえ」

と政次が声をかけ、背から銀のなえしを引き抜いた。

若い男女が震えながらも土手上に這い上がり、政次が目で亀造の動きを牽制《けんせい》しながら従った。これでまた亀造との間合いが三間に広がった。

「亀造、てめえは知るまいが金座裏の十代目の政次若親分だ、大人《おとな》しくしていれば痛いめに遭わずに済む」

「抜かせ、常丸」

と吐き捨てた亀造が匕首を逆手に構えた。

それを見た仲間たちが木刀を構え、匕首を煌かせた。

波太郎は御用提灯を片手に保持していた。

亀造ら七人に立ち向かえるのは政次と常丸だけだ。

「こやつらを刺し殺せ、かまうこっちゃねえや！」

と亀造が冷酷な命を飛ばした。

政次は銀なえしの柄頭《つかがしら》に巻いた平打ちの紐《ひも》を解き、その端を手首に巻き付けた。

「江戸十里四方所払いになった身で匕首を振り翳して人を襲うとは、いい度胸ですね。この次は遠島では済みませんよ」

「その口調で思い出したぜ。松坂屋の手代が金座裏に養子に入ったと旅の空で聞いたが、てめえか」

嘗《な》めた口調に変わった亀造が逆手に持った匕首の切っ先を隠すように自分の方に向け直し、土手で逢引をしていた男から奪い取った財布を、

「食らえ！」

と政次に投げつけると同時に突っ込んできた。

動きを悟られないように隠されていた匕首の切っ先が間合いをぎりぎりまで詰めたところで返され、政次に向けられた。

だが、政次は亀造の動きを、余裕を持って見ていた。

ひょい
と顔に飛んできた財布を避けると、突っ込んできた亀造の顔面に銀のなえしを、
発止！

とばかりに投げつけた。

紐が伸びて、なえしの先端が亀造の鼻っ柱に、
がつん！

と叩き付けられ、亀造の体はくねくねと揺れると土手下へ崩れ落ちた。

一瞬の早業の後、なえしは再び政次の手に戻っていた。

手首にかけた紐を引っ張り、亀造の顔を叩いたなえしを引き戻したからだ。

頭分の亀造が倒され、浮き足だった一味に今度は銀なえしを構えた政次と十手を手にした常丸が飛び込んで、右に左に振るって叩きのめした。

あっ

という間もなく亀造一味が土手に転がった。

そのとき、川面から亮吉の声が響いてきた。

「若親分、仲間の船頭はとっ捕まえたぜ!」

その声が柳原土手の捕り物の終わりを告げた。

永塚小夜はいつもより四半刻ほど遅く林道場を出た。林幾太郎の後家が門弟たちの帰った道場に姿を見せて、話し込んでいったからだ。

いくら人手があるからといって、小太郎の面倒をこの刻限までみてもらうのは心苦しかった。

少しでも早く戻らねばと小夜は足を速めた。

小夜は林道場で稽古のある日は女であることを忘れ、総髪を頭の後ろで引き詰め、袴を履いて通った。腰には小太刀に脇差の二本差しだ。遠目には若侍のような恰好である。

林道場のある三島町から銀町の青正の屋敷まで指呼《しこ》の間《かん》だ。

松田町から鍋町東横丁の通りには夕餉《ゆうげ》の匂いが漂ってきた。

半丁（約五五メートル）もいくと元乗物町の大きな通りを横切ることになる。

ふいに鍋町東横丁の辻から黒い影が姿を見せた。

うーむ
道場の格子窓にへばりついて稽古の様子を窺っていた深編笠の侍だ、と小夜は直感した。

その瞬間、背に殺気を感じた。

脳裏に政次らが言い残した辻斬りのことが浮かんだ。

すでに相手の間合いに入られたと悟っていた。

小夜は本能の赴くままに行動した。すでに表戸を閉じた薪炭屋《しんたんや》の雨戸に体をぶつけ、ずるずると戸に沿ってその場に伏せた。

雨戸に、がつんと刃が食い込んだ。

小夜は着流しの裾を視界の端に認めながら、ごろごろと転がった。

「ひえっ！　斬り合いだ」

と男の声が響いて、小夜を襲った相手の動きが止まった。

その間、小夜は体勢を整え直した。片膝をつくと小太刀を抜き放ち、

「おのれ、辻斬りか」

と誰何《すいか》した。

そのとき、小夜は着流しの相手を女と直感した。

そう思った瞬間、すうっと平静に戻った。

大柄の体付きは若竹のように伸びやかだった。だが、確かに年はそれなりに食っているように思えた。

「そのほう、女だな」

細身の剣を構え直したが、雨戸を叩いた切っ先はゆるく曲がっていた。

「愚か者めが、永塚小夜が成敗してくれん」

小夜が間合いを詰めた。

すると最初に姿を見せて小夜の注意を逸《そ》らした深編笠の侍が近付いてくると、

「お蘭《らん》様、この場は一旦退《ひ》きますぞ」

と声をかけた。

「ならぬ、仕留める」

お蘭と呼ばれた女が曲がった剣を構え直した。

斬り合いに気付いて叫んだのは仕事帰りの職人だった。なおも斬り合いが続くと見た大工の恒次《つねじ》は、

「辻斬りだ！」

と町内に響き渡るような声で叫んだ。

その声を政次と亮吉は元乗物町につながる通新石町の辻で聞いた。

政次たちは木枯しの亀造ら一味をお縄にして須田町の番屋に連れ込み、後の始末を常丸と波太郎と広吉に任せ、辻斬りの見回りに戻るところだった。

「亮吉、いくぜ」

「合点だ」

二人は通りを声のした方に駆けた。鍋町二丁目の辻に人だかりがしていた。

「辻斬りはどこでぇ！」

亮吉が叫ぶ。

「東横丁の薪炭屋の前だぜ、亮吉」

と斬り合いを見ていた顔見知りの一人が叫んだ。

二人が辻を曲がると、小夜が二人を相手に仕掛けようとする姿が飛び込んできた。

「亮吉、辻斬りの始末、小夜様に任せよ」

足を緩めるとゆっくりとその場に近付いた。

「仕掛けぬか、そちらが仕掛けねばこちらから参る」

小夜が決然と言うと、すうっと間合いを詰めた。

着流しの相手がその気迫に半歩後退したが、

「おのれ」

と吐き捨て、切っ先が曲がった剣を構え直した。

「若親分、驚いたぜ。辻斬りは女かえ」

「どうやらそのようだな」

小夜の小太刀の切っ先が鶺鴒《せきれい》の尾の動きのように、
ちょんちょん
と誘いをかけ、釣《つ》り出されるように辻斬りが踏み込んできた。

正眼の剣を引き付け、小夜の左肩口を狙った。

だが、今度は不意打ちでもなく、小太刀の名手の永塚小夜が十分に構えて応じているのだ。動きを存分に見定めて、肩口に振り下ろされる剣を弾くと、小太刀が翻って辻斬りの手首を襲った。

「うっ」

という呻き声と、

「お蘭様」

と叫んだ深編笠の武家の声が交差した。

女辻斬りの手からぽろりと細身の剣が落ちた。

「なんとしたことが」

と驚きの声を上げたお蘭が後退《あとずさ》りしてその場から逃げようとした。

「前門の小夜様、後門の金座裏の若親分だぜ。女辻斬り、もはや観念しねえな」

と亮吉が十手を翳した。

「下郎、下がりおろう！」

辻斬りが左手で脇差を抜こうとした。

政次がするすると間合いを詰めて、女辻斬りの肩口を銀のなえしで叩いた。くたくたと着流しの相手が政次の足元に崩れ落ちた。

深編笠の武家が動こうとするのを亮吉が、

「お待ちなせえ、おまえ様には聞くことがあらあ」

と制止した。すると相手は愕然《がくぜん》と肩を落とした。

「小夜様、お手柄にございます」

「若親分、そなたから辻斬りのこと聞いていてようございました」

と女に立ち返った口調で小夜が答えたものだ。

その夜遅く、鎌倉河岸の豊島屋が店仕舞いしようという刻限、亮吉が姿を見せた。疲れ切った顔に誇らしげな様子も垣間《かいま》見えた。

「亮吉、おまえ、一人か」

「独楽鼠、柳原土手で江戸から所払いになった悪を捕まえたそうだな、お手柄でした」

彦四郎と清蔵が口々に言った。

亮吉がなぜか直ぐには答えず客のいなくなり、がらんとした店を見回した。

「こうやって見ると、清蔵旦那の店は広いものだな」

「うちの店が広い狭いはどうでもいいことです。それより捕り物はどうでした」

「木枯しの亀造一味の一件かえ」

「なにっ、ほかになんぞ手柄を立てたのか」

彦四郎が聞く。

「例の辻斬りを捕まえたのさ」

「おおっ、政次若親分が手柄を立てなさったか」

「いや、永塚小夜様がさ、辻斬りと相対決して小手を斬り飛ばし、最後は若親分が銀のなえしで仕留めなされたのさ」

「まあ」

としほが顔を綻《ほころ》ばし、清蔵が、

「三十の若様とはだれでしたな」

と訊いた。

「つい最前お縄にしたばかりだ。大番屋に連れ込んで医師を呼び、まず手当てが行われている最中だ。身許《みもと》しか分かってねえ」

「だれだえ」

「高家《こうけ》肝煎《きもいり》六角《ろっかく》家の行かずのお姫様と付き添いの家来の二人組の仕業だ、これまでの三件も家来が認めたぜ」

「高家肝煎ですって、またどえらい名家のお姫様が辻斬りとはどういうことです」

高家肝煎の高家とは名族という意で、家柄の高い一族を言った。

徳川時代、高家は吉良《きら》、武田、畠山《はたけやま》、織田、六角、石橋、品川など数家に限られ、その中から三家が選ばれて高家肝煎となった。

職掌は宮中への使節、日光への御代参、勅使、朝臣参府の接待、柳営《りゆうえい》礼式の掌典《しようてん》などである。

「清蔵旦那、捕まえたのはつい最前だぜ、相手が怪我《けが》をしていることもあらあ。それに高家肝煎となれば老中支配、政次若親分が立ち会っているだけでよ、高家肝煎の身分をここで喋《しやべ》ったことが分かれば、おれの首が飛ぶかも知れないんだぜ」

さすがの清蔵も答えに窮し、

「独楽鼠、ご苦労だったねえ」

と労うとしほが黙って茶碗《ちやわん》酒を亮吉の前に差し出した。

亮吉が、

「ありがてえ」

と言いながら、茶碗を掴《つか》み、ゆっくりと喉《のど》に落として、ふうっ、と息を吐き、

「すっきりしねえのは清蔵さん、おれも一緒だ。辻斬りを捕らえた永塚小夜様にも事と次第ではお咎《とが》めがあるなんぞ、六角家の用人が大番屋で息巻いてやがんのさ」

「そんな馬鹿な話がありますか」

清蔵の声もなんとなく弱々しく響き、釈然としない夜が更けていこうとしていた。

第五話　十一年後の決着

一

日中、金座裏《きんざうら》に宗五郎《そうごろう》と政次《せいじ》がいない日々が続いた。

高家《こうけ》肝煎六角家《きもいりろっかく》のお姫様の辻斬《つじぎ》り事件の後始末が尾を引いていたのだ。六角家の当主忠麻呂《ただまろ》が、

「お蘭《らん》にかぎり、そのような無法をなすはずもない」

と老中に訴え、

「金座裏の金流しなどと世間にもて囃《はや》された御用聞きが増長致し、女町道場主と一緒にわがお蘭を誤りて斬り付け、縄目をかけたのであろう」

と抗弁したためだ。

高家は万石以下、大名ではない。だが、老中差配の職掌であった。

礼式作法指導など大名諸侯の泣き所に付け込んでその態度は横柄を極め、一方大名も普段から付け届けなどして交際を求める者もいた。

赤穂浪士《あこうろうし》の討ち入りの発端となった浅野内匠頭《あさのたくみのかみ》と吉良上野介《きらこうずけのすけ》の城中松の廊下の諍《いさか》いを見ても、高家の隠然たる力が分かろう。

ともあれ、六角家ではお蘭が辻斬りなどするはずがない。お蘭を捕縛した政次と永《なが》塚小夜《つかさよ》の仕業だと老中にねじ込んだのだ。

調べは老中が列座して、寺社奉行、勘定奉行、町奉行、大目付、目付が評定所に集まり、異例の裁きが連日行われた。

辻斬りの被害に遭った三人のうち一人は、御書院番松平寛之助《まつだいらひろのすけ》の家臣日野辰蔵《ひのたつぞう》であり、もう一人は定火消齋藤八右衛門《さいとうはちえもん》の与力神保稲吉《じんぼいねきち》であった。

松平家からも齋藤家からも、

「よくよくのお調べを」

と六角家の横暴を牽制《けんせい》する申し出があったりして、五手掛《ごてがかり》も始末に困った。

お蘭は幼き頃より背が高く、十六、七になった頃には五尺七寸もあったとか。江戸期の娘としては大柄であり、縁談話があってもまずお蘭の大きさを見ただけで、相手の腰が引けた。幼き頃から大きな体に劣等意識を持ったお蘭は、十歳を超えた頃から剣術の稽古《けいこ》に打ち込み、四、五年もするとそこそこの腕前になっていた。

六尺に近い身丈となったお蘭は二十歳を過ぎるころから剣術の稽古にさらに没頭す

るようになり、もはや高家の六角家では相手になる家来などいなかった。腕を折られ、真剣で斬られた家来も二人や三人で済まなかった。

六角家ではお蘭の所業を必死で隠していたが、屋敷周辺ではお蘭の剣術狂いは周知のことであった。

お蘭の目付役を務めるのは六角家の下士東郷猪之助《とうごういのすけ》だけで、二人して日々鬱々《うつうつ》としたお蘭の不満を発散する稽古に精を出していた。が、ついにその限界も超えるときがきていた。

寛政十二年の夏、例年に増して暑かった。

お蘭は密《ひそ》かに屋敷を出て、辻斬りに出歩くようになっていた、と五手掛も推測を付けていた。だが、

「それは推論、なんの証拠もござらぬ。如何《いかが》わしき女町道場主や御用聞きの証言などではあてにならぬ」

と六角忠麻呂に強弁されて、それを論破できないでいた。

だが、その六角家の強弁が打ち砕かれるときがきた。

三人目の被害者定火消齋藤家の家臣、与力の神保稲吉は辻斬りに襲われたとき、抜き合わせる余裕はなかったが、無意識のうちに片手を突き出して、辻斬りの内懐に差

し込んで匂袋《においぶくろ》を摑《つか》み取っていた。

この匂袋は体臭のきついお蘭が肌身離さず持ち歩いていたもので、辻斬りの報に最初に現場に駆け付けた三河町の志之助《しのすけ》が辻斬りの身許《みもと》を特定するために切り札として保管していたものだ。

この証拠が齋藤家を通じて五手掛に差し出され、匂袋の飾り紐《ひも》はお蘭の母親が実家から嫁入り道具の一つとして持ってきた珊瑚玉《さんごだま》を付けたものだということが判明した。

この証拠を突き付けられたお蘭の従者東郷猪之助がまず辻斬りを認め、その直後、評定所の控え室で腹を搔《か》っ捌《さば》いて自裁する騒ぎがあった。

六角忠麻呂もはやお蘭の仕業であることを渋々ながら認めた。

六角お蘭は、座敷牢に終生繫《つな》がれることを条件に放免された。お蘭は座敷牢に入れられた一月後に牢内で扱《しご》き紐を使って首を括《くく》り、自殺することになる。だが、これは後の話だ。

金座裏の宗五郎と政次は、最後の評決が出た日の評定所からの帰り道、三河町に立ち寄り、志之助親分にお礼に伺った。

「三河町の、助かったぜ。このとおり礼を言う」

「志之助親分、此度《こたび》は真《まこと》にありがとうございました」

と親子が口々に初老の御用聞きに頭を深々と下げた。

「金座裏の、おめえさん方に礼を言われるほどのことはしてねえよ」

と老練な御用聞きが困った顔で言った。

「いや、あの匂袋がなければ、高家肝煎の六角忠麻呂様の抗弁に五手掛も太刀打ちできなかったよ。ようも神保様は襲われたとき、辻斬りの懐に手を突っ込み、匂袋を鷲《わし》摑《づか》みにしていてくれたものよ。またそれを三河町の、おめえさんが大事に探索の証拠として保管していてくれたからこそ、こうした裁きが下りたんだ」

「金座裏の、政次さん、それがちょいと事情が違うんだ」

「事情が違うとはどういうことだ」

「金座裏の、志之助め、そんな証拠を持っているくらいなら早く出すがいいやと考えなかったか」

「探索にはいろいろと絡むからな。まして五手掛でお調べが進む事件だ、町方《まちかた》から上がる証拠などはうやむやにされかねないからね。ようもあの場に出されたと感心しているんだ」

「そこだ。おれがさ、苦心したのは」

と苦笑いした志之助は、

「まずさ、その匂袋、神保様が六角家のお姫様の懐から掴み出したもんじゃねえ。神保様が殺された現場から半丁ほど先で、うちの手先が見つけたものだ。物からいって高貴の方の持ち物ということは直《す》ぐにわかった」

「なんだって」

「まあ、聞きねえな。政次さんが辻斬りを捕まえたという話がうちにも伝わってきてさ、そいつが大柄の女だったと聞いたとき、こいつは辻斬りの持ち物だと直感したのさ。だが、相手は高家肝煎と噂《うわさ》が流れた。相手が相手だ。そこでさ、おれは出し時を考えてさ、ぎりぎりまで待った末に定火消の齋藤家に出向き、恐れながらとこれまで黙っておりましたが神保様が必死で辻斬りから掴み取った証拠の品でございますと差し出したのさ。いや、齋藤家でも辻斬りは捕まったはいいが、六角家のお姫様を庇《かば》って高家肝煎の父親が評定所で横暴な態度で居直っていると聞き知り、腹を立てておられたから、渡りに舟と評定所に差し出されたのだ」

話の途中から平然とした笑みを交えた志之助が説明し終えた。

「驚いたぜ、三河町の。さすがに伊達《だて》に年は食ってねえや。五手掛でも屈服できねえ、高家肝煎の横柄を三河町の腹芸が打ち砕いたか」

と宗五郎が感心し、政次も啞然《あぜん》とした。

「三河町、なんにしても助かった」

「金座裏、此度の一件よ、明々白々な事件なんだ。現場で辻斬りはとっ捕まっているんだからな。それを高家肝煎だかなんだかしらねえが、馬鹿な父親が頑張るからさ、おれがこんな真似《まね》をしなくちゃいけなくなったんだよ」

「三河町の親分さん、生涯恩は忘れません」

と政次が頭を下げると、

「金座裏、政次さん、いいかえ、こいつはおれが墓まで持っていく秘密だぜ」

と笑ったものだ。

宗五郎と政次親子は金座裏に戻ると青正《あおしょう》の離れに謹慎する永塚小夜に使いを出した。
夕暮れどき、金座裏に鎌倉河岸《かまくらがし》名物の田楽の匂いが、
ぷーん
と漂い、豊島屋の大旦那の清蔵《せいぞう》、しほが姿を見せた。
金座裏では表通りから綺麗《きれい》に掃除がなされ、打ち水がうたれて清々《すがすが》しく客を迎えた。
「本日、お呼びとはなんですね」
清蔵が金座裏の座敷に上がると永塚小夜と小太郎《こたろう》、青正の隠居の義平《ぎへい》がすでにいた。

「おおっ、青正の隠居もおられたか」

「清蔵さん、本日は小太郎様のお守役だ」

と義平が答えるところに北町奉行小田切直年《おだぎりなおとし》の内与力、嘉門與八郎《かもんよはちろう》と定廻《じょうまわ》り同心寺《てら》坂毅一郎《さかきいちろう》が連れ立って姿を見せた。

「金座裏の、まずは裁きが下り、祝着至極かな」

という嘉門の声に、

「おおっ、辻斬りの一件解決を見ましたか」

と清蔵がこれで捕り物話が聞けるぞと身構えた。

「清蔵旦那、此度の一件、ただ今の嘉門様の言葉がすべてだ。辻斬りがだれか、どうして辻斬りに走ったか、動機などすべては秘密にされることになったんだ。勘弁してくんな」

「だって辻斬りが六角家の行かずのお姫様ということは江戸じゅうが承知のことだよ。剣術好きのお姫様が鬱々とした気分を紛らわすために夕間暮れ、不忍池《しのばずいけ》にさ、辻斬りに姿を見せたんでしょうが」

「さあてねえ」

「さあてねえって、違うと言いなさるか」

「清蔵様、そんなことはだれも言ってないさ。だが、老中列座で裁かれた此度の一件、名家六角の名を傷つけるわけにはいかないと五手掛のお歴々が話し合われたことでよ、口外しねえと決まったことだ」

「お蘭様は六角家の殿様が四十近くになって授かったお姫様、小さな頃から大事法事に可愛《かわい》がってこられたんだそうですよ。年いって授かった子は可愛いというが、このお蘭様、顔はそこそこに愛らしいが、身丈がずんずんと伸びてしまった。こいつがさ、お蘭様が剣術に、果ては辻斬りに狂われた切っ掛けと因ですよ」

「…………」

「駕籠かきの繁三《しげぞう》が辻斬りは三十の若様のようだと酔っ払って言いなさったが、ある意味ではあたっていたかもしれないね」

と清蔵が呟《つぶや》いたが、だれもなにも答えない。

「清蔵さん、そんなことはもはや忘れましょうや。本日は暑気払いだ、酒と肴《さかな》は十分に用意させた、賑《にぎ》やかにさ、飲み交わしましょうか」

「偶《たま》にはよそ様で酒を飲むのも悪くないか」

とようやく清蔵が納得した。

そこへおみつを先頭に女たちが酒やお膳《ぜん》を運んできて、急に場の雰囲気が変わった。

「ささっ、清蔵旦那、本日は金座裏でこの亮吉《りょうきち》がお酌の係を務めますよ」

と亮吉が徳利を持って清蔵の盃に注ぎ、

「今度ばかりはおまえさんの出番はないね」

「ああ、話したくとも清蔵様以上のことは存じません」

と亮吉が受け流した。

酒が行き渡り、嘉門が、

「まずは目出度《めでた》い」

と乾杯の音頭をとって宴が始まった。

「政次どの、ご心労にございましたな」

と小夜が政次を労《ねぎら》った。

「小夜様、本来なれば奉行所から褒賞《ほうしょう》の沙汰《さた》があってもしかるべきところ、不快な思いをさせて申し訳ございません」

永塚小夜は高家肝煎の六角家のお姫様に怪我《けが》を負わせた、と反対に裁きが出るまで謹慎を命じられていたのだ。

「私は小太郎とのんびり日を過ごしておりました。宗五郎親分や政次若親分のように評定所へ連日呼び出されて調べを受けることもございませんでしたから、何事もありませんでした」

と笑った。

「明日から道場が再開できますぜ」

と亮吉が二人の間に割り込んできた。

「それだけが心配でした」

小夜が言う。

「小夜様、すでにご存じかと思いますがねえ、門弟衆は毎日道場に集まり、こんな理不尽なことはない。小夜様がお戻りになるまで道場はわれわれが守ると、熱心に稽古を続けておられましたよ」

「青正のご隠居様から聞いております。此度の騒ぎに巻き込まれて、私、ようやく林道場の主《あるじ》になったと感じます」

「小夜様よ、辻斬りを成敗なさった話はすでに江戸じゅうが承知ですよ、新たに弟子入りを願う男どもが押しかけますぜ」

「それは困った。もはや道場は手狭です」

と小夜が本気でそのことを心配した。

暑気払いの宴が終わったのは五つ半（午後九時）前のことだ。客も順々に帰り、嘉門と寺坂毅一郎の二人だけが残った。

居間に移り、応対したのは宗五郎と政次の二人だ。

しほが新しく茶を淹《い》れ、

「ごゆっくり」

と台所に下がった。

二人がわざわざ残ったのは御用があってのことと思ったからだ。

「いや、よき宵であった」

と小田切直年の内与力嘉門が酒に染まった顔でいい、美味《おい》しそうに茶を啜《すす》った。

「嘉門様、なんぞ御用がございますんで」

「金座裏、こういう機会でもなければ金流しの親分の家酒や茶は飲めんでな」

と冗談で応じた嘉門の顔が引き締まった。

「宗五郎、一難去ってまた一難、真に言い難《にく》いが例の水戸家の話が動き出した。そのことをそのほうらに告げておこうと思ってな、寺坂に同道致したのだ」

「そんなこっちゃねえかと思ってましたよ」

「不意に水戸から国家老太田資左衛門《おおたすけざえもん》様が江戸屋敷に出てこられたそうな。むろん治《はる》保《もり》様に再び献金郷士制を認めてもらうためだ」

「となると、定府派の江戸家老派も黙っちゃいますまいな」

「さすがに御三家だ。江戸屋敷を舞台に表立って角突き合わす真似はしてないようだ。だが、暗闘はすでに始まっていると聞いた」

「なんてことだ」

と嘆いた宗五郎が、

「澤潟五郎次《さわがたごろうじ》様は国許《くにもと》派と定府派の間に入って心労なされておられましょうな」

とそのことを案じた。

「そこだ、宗五郎。富田《とみた》家がな、此度の国家老太田様の上府に合わせて、十一年前に嫡男新吾《しんご》が逐電したというのは欺瞞《ぎまん》、なんとしても真相を明らかにしてほしいと治保様の側近、御取次に上申書を出したそうな」

「今になってそのような上申書を届けられたには、なんぞわけがありますので」

「富田家としてはなんとしても新吾の名誉を回復したいのが一つ、家禄を元の三百二十石、役職を腰物番に戻したいというのが二つ目の理由のようだ」

嘉門の口調には含みがあった。

「他にもなんぞございますので」

「国許派が巻き返しのために十一年前の夏の事件を開陳しようとしているのだ」

「定府派に寝返った目付の半澤立沖《はんざわたつおき》が富田新吾を斬殺《ざんさつ》した張本人と知られると、定府派には一転不利になり形勢が逆転する。富田家でも目付に上申書を出さずに治保様の御近習である御取次に提出した理由よ」

「治保様のご判断に委《ゆだ》ねられましたので」

「十一年前の殺しの現場に立ち会っていたのは半澤の他に新吾の仲間だった三村《みむら》五郎次、ただ今の澤潟五郎次どのだ。老中澤潟家は水戸藩の家老十八職の一家、また治保様の信頼が厚いときておる、定府派と半澤にとっては目の上の瘤《こぶ》だ」

「澤潟様に危険が迫っておりますので」

「澤潟様もあのように慎重なお方だ。定府派の姦計《かんけい》にはそうそう嵌《は》まるまい」

と嘉門が言う。

「上申書は受理されたのでございますか」

宗五郎が念を押した。

「それだ」

と答えた嘉門が茶を啜った。

「一番の鍵《かぎ》を握る澤潟五郎次どのが沈黙を守っておられるそうな」

「すると富田新吾様が十一年前に逐電されたか、御用の途次暗殺されたかの調べはどうなるのでございますか」

「本日、それがしが金座裏に訪ねてきた理由だ。澤潟様の口上を申し上げる。繰り返しになるが富田新吾の行方不明の真相を知る者は、それがしの他、政次、亮吉、彦四《ひこし》郎《ろう》の四人である。くれぐれも身辺に気をつけられよとの言付けでな、政次」

「ご丁寧にも恐れ入ります」

過日、澤潟五郎次が金座裏を訪ねきたとき、お互いが確認した事項だった。再び嘉門を使いに立てて繰り返された理由はなにか、政次は疑問に感じていた。

「政次、富田家も半澤立沖一派もそなたらが富田新吾の亡骸《なきがら》がどこにあるのか承知しておると疑っておるのだ。亡骸と一緒にあの場に残ったのはそなたら三人だけだからな」

「なんということで」

「政次、そなたら、最近、あの場所に戻ったのではないか」

と嘉門の眼がぎょろりと政次を睨《にら》んだ。

二

翌朝、政次は赤坂田町の神谷《かみや》丈右衛門《じょうえもん》道場でもやもやした気分を吹き飛ばすように猛稽古に打ち込んだ。相手をした高弟たちがたじたじとなるほど気合いの入った稽古ぶりだった。

政次の胸の中に水戸家の内紛が蟠《わだかま》っていた。自分たちでなにも出来ないだけに苛立《いらだ》ちを感じてもいた。

十一年前、確かに政次ら三人は水戸家上屋敷から流れでる小川の辺《ほとり》で殺しの現場を見た。だが、殺された若い家臣富田新吾の亡骸がどこに埋葬されたか、承知していなかった、にもかかわらず半澤立沖も富田家も政次らが知っておると疑っているという。

いや、嘉門の言葉を借りれば、

「そなたらが隠したのではないかとまで疑っておるぞ」

という。

「嘉門様、そのようなことはございません」

と政次はきっぱりと答えたが嘉門は、

「なぜまたあの場所に戻ったのだ」

と詰問した。

政次はしばし沈思し、口を開いた。

「なぜあの場所に戻ったと問われれば、へえっ、このような理由でと明白な返答はできませぬ。ですが、嘉門様、十一年前、まだ幼かった私どもが偶然出遭った殺人事件が蘇《よみがえ》り、新たな騒ぎが巻き起ころうとしているのでございますよ。それなのに、私どもはいろいろと聞かされるだけです、喉元《のどもと》に刺さった棘《とげ》を抜くためになにかが出来るわけではない。そのことが神田川を遡《さかのぼ》らせたのでございます」

ふうっ

と嘉門が息を吐いた。

「だが、私どもはあの場所を確かめることしか考えていませんでした。それ以上なにをしようという気はございませんでした」

「だが、潜り込んだ」

「へえっ、嘉門様」

「なぜだ、政次」

嘉門の追及が険しくなった。

「彦四郎が猪牙《ちょき》の舳先《へさき》を蔓草《つるくさ》で覆われた流れの口に突っ込ませ、亮吉が蔓草に顔を突っ込んで見たんでございますよ」

「見たとはなんだ」

「十一年前の殺しの現場に明かりがちらちらしているのを見たんでございますよ」

「なんとそのようなことが」

「政次、明かりに誘われて潜り込む決心をしたというのか」

と嘉門の問いを黙って聞いていた宗五郎も尋ねた。

「はい。私ども三人に一様に十一年前の事件が彷彿《ほうふつ》と浮かんで、明かりがなにか確かめるべきと考えたのです。そこで彦四郎を神田川に待たせ、私と亮吉が忍び込みました。明かりに近付くと水戸様の若い家臣方がなにかを探すようでもあり、ただの集まりのようにも見える感じで池の端を歩き回られておられました」

「それでどうした」

寺坂毅一郎も身を乗り出して聞いた。

「その若い家臣方に水戸家定府派の急先鋒《きゅうせんぽう》小石川組の面々が忍び寄り、襲いかかろうとしたのです。若い家臣はそのことに気付いておりませんでした。強盗提灯《がんどうちょうちん》の明かりがさっと流れたとき、若い家臣方は慌てふためいておりました。新たな殺戮《さつりく》が行われるのは明らかです。亮吉と私は騒ぎ立て、二組の他に目撃者がいることを両派に告げ知らせ、若い家臣たちが逃げる間をつくったのでございます」

な、なんということが、と言うと嘉門が絶句した。

「それでどうした」

宗五郎が先を促す。

「小石川組の面々の注意が若い家臣たちから私たちに向けられました。若い侍が逃げ延びる間を得たと感じた亮吉と私は流れを泳いで神田川まで戻ったというわけでございます」

「そのようなことがあったか」

と毅一郎が言い、内与力の嘉門を見た。

「嘉門様、確かに水戸家の定府派にとって若親分らの存在と行動は気にかかるところでございましょう。こいつは御三家の内紛である、そのほうら、じっとしておれというのも酷なような気がします。すでに政次若親分らは龍閑橋《りゅうかんばし》で襲われ、口を封じかけられた。身を守るためにも新たな展開を見せる事件を知っておきたいというのは無理からぬところでございますよ」

「寺坂、相手はそなたも申したが御三家だぞ、高家肝煎どころではない。町奉行など不浄役人の親玉くらいにしか考えておらぬ。水戸家の目付が何度も厳しく注文をつけてくるのだ、われらの立場になってもみよ」

「だからと申されて、若親分たちに謹慎しておれと命じたところで情況が変わるとも思われませんぞ」

「寺坂、それがしはどうすればよい」

ほとほと困ったという表情で嘉門與八郎が口を噤《つぐ》んだ。

しばし座を重い沈黙が支配した。

「嘉門様、お奉行小田切様に申し上げて頂きとうございます」

「なにをだな、宗五郎」

嘉門が力ない視線を宗五郎に向けた。

「へえっ、わっしら町方が大名家の、それも御三家のお家騒動に首を突っ込むなんぞ出来るわけもない。ですが、考えてもみて下せえ。十一年前の夏の騒ぎは、政次らにとって一旦《いったん》は忘れた記憶だ。幼い胸の中で三人の秘密にしようと誓い、そいつを固く守ってきたんだ。水戸様の立場を考えてねえ。封じ込めた記憶を思い出させたのは水戸家の筆頭目付、それも殺しをやってのけたご当人ですぜ。政次ら三人に、おめえら、じっとしていろ、なにも見るんじゃねえ、関《かか》わるんじゃねえと命じたところで寺坂様の言葉じゃねえが酷だ」

ふうっ

と溜息《ためいき》を吐いた嘉門が肩を落とした。

「嘉門様、坂道を再び転がり出した巨岩をだれも途中で止めることはできねえ。石は坂下まで転がり落ちていけば自然に止まります」

「ならば政次たちも石が転がるのを傍観しておればよいではないか」

「ところが政次たちは傍観者じゃねえ、当事者だ。転がる石といっしょに坂下に走っていく道中だ。十一年前、うやむやにした騒ぎの決着をつけないかぎり、次々に水戸家を揺るがす巨岩が転がり出します。嘉門様、お奉行にしばらく我慢して下せえ、水戸家からの注文は聞き流して下せえとお伝え願えませんか」

「いつまでか」

「騒ぎが鎮まるまでにございますよ。騒ぎをとり鎮めようという腹の据わった人物は水戸家にもおられますって。わっしの勘ではそう長くはかかりませんや」

　と宗五郎が言い切り、その返答に嘉門が頭を抱えた。

「お奉行にこう付け加えて下せえ。北町にとばっちりがいくようなことだけはなんとしても避けたい。だが、万が一、小田切様にご迷惑が及ぶようなことになるならば、宗五郎は即刻金流しの十手をお上に返上して金座裏の看板を下ろしますってね」

　一座の三人が目を剝《む》いた。

「親分」

　となにか言いかけた政次を手で制した宗五郎が、

「政次、此度のこと、ただのお節介で始めたことか。腹を括って答えよ」

「いえ、そうではございません。若いご家来が無残に命を落とした事件にございます。十一年前は見逃すしか方策はなかった。だが、此度、再燃した騒ぎを見逃せば、それこそ水戸様のお家を大きく揺さぶる大騒動へと発展致します。親分は私どもが当事者だと申されました、ならばその芽を摘み取る手伝いを私たちなりにしとうございます」

「よかろう」

と宗五郎が得心し、嘉門の体が一段と小さく萎《しぼ》んで見えた。

「政次、稽古を望んでおられるお方がおられる。相手をせよ」

と神谷丈右衛門が声を掛けたのは朝稽古が終わろうかという刻限だった。

門弟ならば、

「政次、相手をせよ」

で済むことだ。可笑《おか》しなことがと思ったが、

「畏《かしこ》まりました」

と道場の床に座って待った。

稽古相手が道場に姿を見せた。

面頰《めんぽお》を小脇に抱えた武士は澤潟五郎次だった。

澤潟が政次の前に座り、

「政次どの、相手を願いたい」

「私でよければ」

二人は座したまま頭を垂れて挨拶《あいさつ》し、面頰小手をつけて稽古の仕度を終えた。

政次は澤潟の剣術がいかなる腕前か、知らなかった。いや、一度だけ垣間見たのは仲間の富田新吾が襲われ、次は自分の番と考えた五郎次が池の辺に置いた剣に飛びつく行動だった。

だが、あのとき、五郎次に剣を抜く間はなく、半澤に斬りつけられるのは日に見えていた。それを政次たちが騒ぎ立て、半澤立沖の暗殺の企ては頓挫《とんざ》し、五郎次は助かったのだ。

二人は立ち上がると再び礼をし合い、竹刀《しない》を互いに正眼へと構えた。

政次は澤潟五郎次がこの十一年、剣の道に研鑽《けんさん》してきたことを感じ取った。大事な御用の途中、武士の魂を身から外して昼寝をする未熟な青年武士から重厚な剣術家へと変貌《へんぼう》を遂げていた。構えからそのことが判断ついた。

「お願い申します」

「おうっ」

と答えた澤潟が政次の面へ竹刀を伸ばしてきた。それを政次が払い、丁々発止の打ち合いが始まった。

五郎次の竹刀捌きと政次のそれはどこか相通じるところがあった。奇を衒《てら》わず正攻法の攻めだった。

互いが攻守所を変えながら打ち合い、払い合った。

ほぼ剣技では互角といえた。

だが、稽古が長くなるにつれ、澤潟には水戸家で激務をこなしてきたつけと年齢差が出てきた。

稽古を十分に積み、体力気力が横溢《おういつ》する政次との差が出た。

二本立て続けに面と胴を決められた五郎次が、
さっ
と身を引き、

「若親分、さすがに金座裏の十代目じゃな。評判どおりの竹刀捌き、それがし、久しぶりに気持ちよい汗を掻いた。完敗にござる」

と言うとからからと笑った。

「澤潟様、こちらこそ胸に溜《た》まった鬱々とした澱《おり》がすっきりと消えました。お相手、有り難うございました」

二人は微笑《ほほえ》み合った。

その様子を神谷丈右衛門が黙ってみていた。


赤坂田町の帰り道、政次はいつも溜池《ためいけ》から御堀端に沿って東に下り、譜代大名の屋敷が並ぶ御城の南側を山城河岸まで着くと土橋を渡って町屋に出、さらに山下御門、数寄屋橋《すきやばし》、鍛冶橋《かじ》、呉服橋を横目に一石橋《いっこく》を渡り、金座裏に戻る道を辿った。

だが、この日は御堀端を反対廻りに紀伊中将様の抱え屋敷、尾張中納言様の上屋敷の傍らを小石川御門の水戸藩屋敷へと道を選んだ。

澤潟五郎次がなにか話があって神谷道場へ姿を見せたと政次は考えたから同道したのだ。

五郎次は防具を担がせるために小者《こもの》を伴っていたが、道場を出ると先に戻らせた。

「若親分、聞きしに勝る腕前じゃな。小石川組の面々が手こずるはずだ」

「こちらは見よう見真似の棒振り剣術にございますよ。呉服屋の手代から金座裏に入ったとき、胆力を練るために剣術の心得に触れよと親分が勧めてくれたことなんで、素人芸《しろうとげい》です」

「いや、そなたの技はもはや素人芸などというものを超越しておる。なにより伸びやかで筋がよい」

「澤潟様、失礼ながら申し上げます」

「なんだな」

「十一年前、三村五郎次様には剣術家として欠けたものがあったように見受けました。この十一年、澤潟様は大きく変わられた。真の武士とはなにか会得なされた」

「そなたにそう言われると一番嬉《うれ》しい。十一年前、われらは大事な御用を前にその覚悟に欠けていた。そなたらが見ているとも気付かず、殿の書状も剣も放《ほう》り出して眠り呆《ほう》けたのだからな、その代償は大きかった」

「はい」

「同志を、友を失った。その上、御用を果たせなかった。なんとも未熟なことであった」

「富田様も三村五郎次様もお若うございました」

「それを申すな。御用を賜った家臣が、若いから失態を招いたでは奉公人は務まらぬ、そのことさえ気付いていなかった」

「……………」

「若親分、十一年前、寛政元年の夏が終わり、献金上士制が潰《つぶ》されたとき、それがしは自分の考えの至らなさに悔いた、呆然《ぼうぜん》とした。そのことを忘れたく水戸に伝わる水《すい》府《ふ》流の剣術の稽古に打ち込んだ。何年も何年もそのことだけに没頭した」

「お手合わせ願って、澤潟様が打ち込まれた歳月を感じ取ることが出来ました」

「無心なときが何年続いたか。澤潟家から養子縁組の話が伝えられ、それがしは水戸藩の中枢部の一家に入った」

　二人はしばらく無言で歩いた。

「政次どの、そなたらに多大な迷惑をかけておるようだのう」

「澤潟様、国家老の太田資左衛門様が江戸に出てきておられるそうですね」

「承知であったか。太田様はなんとしても此度の出府で献金郷士制を確立させ、その金子《きんす》で藩政改革を断行させる覚悟でな、定府派と刺し違えても決着をつけられる覚悟だ」

「治保様は此度も賛意を示されたのですね」

　五郎次が頷《うなず》いた。

「そなたゆえ忌憚《きたん》なく言う。治保様は明和三年、十五歳で六代水戸藩主に就かれた。献金上士制が取りざたされ、潰された寛政元年、三十八歳であられた。気力も横溢する壮年の砌《みぎり》だが、治保様には残念ながら改革を断行なさる気力に欠けておられる。いや、藩政改革が必要なことは十分に理解はされておられるのだがな。自らのことを棚に上げて、不遜《ふそん》なことながら寛政元年の藩政改革が断行されなかった大きな理由だ」

政次は小さく頷いた。

六代治保は凡庸な藩主と世間では噂されていた。

「此度の改革は最後の機会、国許派は必死の巻き返しを狙《ねら》っておる。また治保様もなんとか寛政元年の轍《てつ》は踏みたくないと考えておられる」

「澤潟様は定府派にも国許派にも加担しておられぬと申されましたな」

「水戸に改革が必要なことをそれがしも十分承知しておる。その意味では改革派かもしれぬ。だが、江戸の定府派と相争うかたちでは、また先の改革失敗の二の舞を繰り返す、ゆえにそれがしは定府派とも国許の改革派とも距離を置いた」

「澤潟様はどうなされようとしておられるのですか」

「そこだ」

と澤潟五郎次が足を止め、政次を見た。

「政次どの、そなたの力が欲しい」

「御三家の内紛に町方の力がいると申されるので」

「内紛ではない。藩政改革だ、ここで改革をせぬと水戸は潰れる。そんな折、定府派、国許派などと勝手な旗印を掲げて争っているときではない」

政次は今一つ澤潟五郎次の主張が分からなかった。

「澤潟様には旗印はございませんので」

「ある。水戸六代藩主徳川治保様のご意思こそ、ただ一つの行動原理である」

「治保様は献金郷士策を推進なさるお考えでしたな」

「いかにも。水戸で改革のための金子を集めるにはそれしか手はない」

「国許派の太田様方とおなじ考えにございますな」

「考えは一緒だ、だが、改革の進め方が違う」

「と申されますと」

「治保様が国許の太田様方と一緒になり、藩改革を進めたとせよ。一気に献金郷士制はなり、改革の資金は集まろう。だが、敗れた定府派の不満が残り、後々改革に支障を来たすことになる」

政次にはなんとなくおぼろに澤潟が考えていることが分かったような気がした。

「まず二つの派を相争わせ、勢力を殺《そ》ぎ、積年の膿《うみ》を出されるのでございますな」

「さすがに政次どのだ。早、察せられたか」

「私になにをせよと申されるので」

「会ってほしいお方がある」

「いつでございますな」

「ただ今からじゃ」

「どちらへ」

「案内致す」

澤潟五郎次が方向を転じた。

三

金座裏から政次の姿が消えた。

澤潟五郎次と会った日、政次は昼八つ（午後二時）を過ぎて一旦金座裏に戻った後、宗五郎と何事か話し合っていたが、夕暮れ前、手先たちが町廻りから戻ってくる前に出かけていって、この夜から姿が見えなくなったのだ。

最初に気付いたのは亮吉だ。

夕餉《ゆうげ》の刻限、台所で箱膳《はこぜん》の前に座った亮吉がおみつに、

「お上さん、若親分はどこかへお出かけか」

「うちのと話していたからさ、御用じゃないかね」

「御用か。なえしが神棚においてあるよ。銀のなえしを持っていかない御用とはなんだい」

「ごちゃごちゃとうるさいね、御用ったら御用さ。どうしても知りたきゃあ親分に聞きな」

とおみつに突き放され、この日、夕餉を食していた通いの手先、だんご屋の三喜松《みきまつ》にも、

「独楽鼠、若親分だって野暮用もあらあ。ちったあ、黙って見ていられないのか。気になるのなら、これから金魚の糞《ふん》のように若親分のあとに付いて回れ」

と言われ、

「そうしたいけどよ、いないんじゃあ付いても回れないや」

とぼそりと呟いた。

その場はそれで話は終わった。

だが、次の日もさらにその翌日も政次が戻る気配がない。さすがに常丸《つねまる》たちも気に

しだした。

その日、夕餉前の台所でまたその話が蒸し返された。常丸が、

「亮吉、若親分は格別な御用だぜ。おめえは推測つかねえか」

うーむ
と答えた亮吉はさすがに、

（水戸様の一件で動いているんだな）

と推量したが、常丸たちに話せる事柄ではない。

「親分に確かめてみようか」

と亮吉が居間の宗五郎のところに行った。

宗五郎は紙縒《こよ》りを煙管《キセル》のラオに差し込み、脂の掃除をしていたが、

「なんだ、亮吉」

と顔も上げずに気配で亮吉と当てた。

「政次の行先を聞きにきたか」

「へえっ」

「おめえと彦四郎には、その内連絡があろうじゃないか」

「やっぱり」

「しばらく我慢して、その口を閉ざしておけ」

「へえっ」

と台所に引き返し、

「常丸兄い、御用だとしか親分は答えてくれねえや」

と言う亮吉の態度が微妙に先ほどとは違っていることを常丸は感じ取っていた。だが、常丸はそのことを口にしなかった。

「兄い、おれ、豊島屋に顔出ししてくる」

「もう夕餉だぜ」

「遅くなるようだったら先に済ましていてくんな」

亮吉は台所にあった冷や飯草履を足に突っかけ、裏口から路地へと飛び出した。

鎌倉河岸にはどんよりとした昼間の暑さの名残が漂っていた。

豊島屋から明かりと一緒に常連の客たちの声が河岸まで流れていた。戸口に小さな影があって、

「あれ、亮吉さんだ」

と言った。

小僧の庄太《しょうた》だ。

「たった今、彦四郎さんが仕事に戻ったばかりですよ」

「なんだ、あいつも同じことを考えたか」

と庄太に答えた亮吉は、

「しほちゃんの顔を見ていこう」

と暖簾《のれん》を手で掻き分けた。

「でかぶつの船頭が消えたと思ったらよ、今度はどぶ鼠《ねずみ》が暖簾の蔭からちょろちょろと面を見せたぜ」

と兄弟駕籠《かご》の繁三が言ったが亮吉はそれには構わず、台所から田楽を持って店に出てきたしほの元へ歩み寄った。

「亮吉さんも政次さんのことを聞きにきたのなら、私、知らないわよ」

「しほちゃんにもなにも言い残していかなかったか」

「ちょっと待って、亮吉さん」

しほは言い残すと客の卓に田楽を運んでいった。するとその様子を見ていた清蔵が、

「亮吉、まあ座りなされ」

「旦那、夕餉の前にちらりと顔を出しただけなんだよ」

「おまえさんも若親分の行方が気になるか」

「親分もしほちゃんも落ち着いていなさる。おれや彦四郎が騒いだって仕方ねえや」

「じゃあなぜこんな刻限に姿を見せた」

「しほちゃんがどうしているかなと思ったんだ」

しほが戻ってきた。

「亮吉さん、こんなときは待つしかないわ」

「ああ、それしか手はねえとは思っているんだがな、どうもすっきりしねえのさ」

「それで私の顔を見にきたの」

亮吉がしほの顔を見て頷いた。硬い笑みを浮かべたしほの顔にも不安は漂っていた。

「しほちゃん、若親分のこった、案じることもねえぜ」

今度は亮吉がしほを慰めた。

「そうは思うけど」

豊島屋の店の一角で同じ言葉が繰り返される刻限、侍姿の政次は小石川の水戸家上屋敷の御用部屋にひっそりと待機していた。

屋敷の奥の大書院からは連日続く重臣会議の重苦しい対立の気配が伝わってきた。

江戸定府派と水戸国許一派が全精力を傾注して、

「献金郷士制」

を取り入れるかどうか喧々囂囂《けんけんごうごう》の議論が際限なく繰り返されていた。

定府派は献金した者を水戸徳川に連なる郷士身分などに取り立てて金策するなど、御三家の体面に関わることだと反対していた。

この定府派の中心人物は保守門閥派の江戸家老山科奏悦《やましなそうえつ》であった。

一方、領内の困窮を肌で知る改革派は国家老の太田資左衛門が主導していたが、大胆な改革を推進しようと積極的に動いているのは国許の下士層だった。

この二派にはそれぞれ江戸の御用商人と在郷の商人が肩入れして、互いに一歩も引く気配がない。

十一年前、同じような藩政改革を推し進めようとした国許改革派は保守門閥派に潰された。

国家老の太田資左衛門が出府してきたのは領内の事情が悪化し、大胆な改革しか水戸の存続する道はないと信じていたからだ。資左衛門にとって亡父忠左衛門《ちゅうざえもん》の遺恨仕合ともいえる改革断行だ。忠左衛門は十一年前に藩政改革を潰され、悔いを残したまま亡くなっていた。

保守門閥派も御用商人から改革潰しを強力に要請されていた。国許派の改革策が通れば、江戸屋敷につながる御用商人の出入りが禁止されることは目に見えていた。となると、これまで立て替えてきた莫大《ばくだい》な融資金が滞ることは間違いのないところ、抵抗も必死だ。

両派は体力勝負、あとがなかった。

それだけに重臣会議の決着を広大な水戸藩邸のあちらこちらから固唾《かたず》を飲んで見守る家臣団がいた。

数日前、政次は澤潟五郎次に案内されて小梅村の水戸家下屋敷を訪れた。

離れ屋で待ち受けていたのは徳川治保その人だった。

四十九歳になる治保は茫洋《ぼうよう》とした相貌の持ち主だった。

「殿、金座裏の十代目襲名が決まっております政次にございます」

政次は廊下に平伏した。

「世間ではそのほうの家を金流しの親分と呼ぶそうじゃな」

「はっ」

「先の御能拝見の場にて、九代目が走水の稲兵衛という悪党を金流しの十手を閃《ひらめ》かせて手捕りした光景を見た。あの折、家斉《いえなり》様が、そのほうが金座裏の宗五郎か。思わずも家光様のお許しの金流しの十手を見せてもろうたわ。あっぱれな働きである、とお褒めなされたのでな、予も九代目を承知しておるぞ」

「恐縮至極にございます」

「面《おもて》を上げよ」

政次はゆっくりと顔を上げた。すると治保と視線が合った。茫洋とした顔に笑みが浮かび、

「そなたの面魂《つらだましい》、九代目に勝るとも劣らぬわ。のう、五郎次」

「いかにもさようにございます。殿、それがし、この者の機転なくばこの世の人間ではございませんでした。十一年前、富田新吾と一緒に屍《しかばね》を晒《さら》しておりました」

「聞いた」

とだけ治保が応じ、

「政次、寛政元年の挫折した藩政改革の経緯もある。五郎次に力を貸し、水戸を助けてくれよ」

と仰《おお》せになったのだ。

「はっ」

政次は畏まって、その意あるところをお受けするしかない。

以来、政次は水戸屋敷に出入りするために澤潟家の家来に身を窶《やつ》した。

定府の保守門閥派、国許の改革派の間に入り、必死で両派の戦いを表面化させるこ

となく穏便のうちに藩政改革に導こうとする澤潟五郎次と行動をともにし、手助けするためだ。

それが治保の意思でもあり、水戸を再生させる唯一の方策と承知していたからだ。またそれが幼き政次たちの胸の奥に残る棘を抜くことにもなるのだ。

この夜、九つ（午前零時）の頃合、重臣会議は一旦中断した。

澤潟五郎次が疲れ切った表情で政次が待つ御用部屋に戻ってきた。

「ご苦労に存じます」

「今晩が峠になろう。明日には治保様も列座なされ、最終的な意思を示される。つまりは決着が付く」

となると今晩しか巻き返しの運動はできぬ、両派が最後の凌《しの》ぎ合いを繰り返すのだ。

政次は座敷の隅にあった茶器と鉄瓶の湯を使い、茶を淹れ、五郎次に供した。

「金座裏の若親分に茶など淹れさせて相済まぬな」

「なんのことがございましょう」

数日、行動を共にしていたが、五郎次が重臣会議の経過を口にすることもなく、また政次が口を挟むこともなかった。二人は共通の考えで一致していたから、それ以上のことを話し合う要はなかった。それは、

「寛政元年の失態を繰り返さぬ」

という一事だ。

五郎次が茶を一口二口喫し終えたとき、廊下に人の気配がした。

「澤潟様、ちとご足労お願い申します」

「どなたのお遣いか」

「江戸家老山科様の遣いにございます」

仲裁役の澤潟が両派から呼ばれるのはしばしばあった。だが、事が押し詰まった昨日今日と両派からの誘いは消えていた。

澤潟が、
ちらり
と政次を見た。

「お供致します」

澤潟が頷いた。

御三家の水戸藩邸はその広さは十万一千八百三十一坪、敷地内には神田上水が西から東に流れ、さらに分岐した水路が南北に貫き、唐趣味の光圀《みつくに》が朱舜水《しゅしゅんすい》に命じて造らせた後楽園が広がり、その間に数多くの建物が点在していた。

後楽園の命名は、北宋《ほくそう》の名臣范文正《はんぶんせい》の、

「士まさに天下の憂に先立って憂い、天下の楽しみに後れて楽しむ」

の考えに因っていた。

また十万余坪の敷地は隔離された、

「水戸藩」

という国そのものであった。なにが起ころうとも、この内部で処理された。

澤潟五郎次と政次は若い小姓に案内されていくつもの廊下を行き、庭に下り、鬱蒼とした庭木の間の道や流れを渡り、離れ屋に案内されていった。

江戸定府派の拠点とあるならば、目付にして小石川組と称する武装集団を率いる半澤立沖が近くに控えていることは明らかだった。

治保の意を含んで両派の仲介に奔走する澤潟五郎次だが、定府派には国許派と同列に考えられていた。

「お付きの方はこちらでお待ち下さい」

と小姓が命じ、五郎次だけが離れ屋に通された。

政次は蚊がぶんぶんと飛び回る離れ屋の軒下で五郎次をひたすら待った。

離れ屋からは最初低い声の問答が続いていたが半刻も過ぎた頃か、

「おのれ、澤潟五郎次め、殿の覚え目出度きことに増長しおって、許せぬ、この場にて成敗してくれん、斬る！」

という怒鳴り声が響き渡った。

刀を手に政次は立ち上がった。すると政次を牽制するように取り巻いていた小石川組の面々が包囲の輪を縮めてきた。

「御免、これ以上は殿列座の会議の場にて論じましょうぞ」

澤潟の声がして、するりという感じで五郎次が姿を見せた。

「ご苦労にございました」

二人にはもはや道案内は付かなかった。だが、遠巻きに尾行がついていた。

「小石川組か」

澤潟が呟く。

「いえ、もう一組です」

政次の返答に澤潟が苦笑いし、

「女は強い。無定見に過ごしてきた定府の若侍たちを動かしておる」

と言った。

澤潟と政次の勘が頼りの帰路となった。

五郎次は元々定府の家臣ではない。江戸藩邸の地理に疎かった。

政次が先に立ち、記憶していた流れや建物の具合で進んだ。

二人が離れ屋を出たところから別の包囲の輪がついた。小石川組と思える面々は藩邸内の地理に通暁していた。すると最初の組が遠くに退いた気配があった。

「澤潟様、道を間違えたようです」

二人は蓬萊嶋《ほうらいじま》を望む大池の辺に出ていた。

月明かりが淡く二人を照らし出した。

庭石や庭木の陰から黒い影が浮かび出た。小石川組の面々だ。

遠巻きにしてきた別の組に驚きが走り、ぴたりと動かなくなった。様子を見るつもりのようだ。

池の水を背に二人は半円に囲まれた。

「藩中に徒党を組むこと、殿は許されておらぬ」

と澤潟五郎次の落ち着いた声がした。

「われらが小石川組なる徒党を組むのも今宵が最後」

「ほう、なぜだな。草薙平四郎《くさなぎへいしろう》」

五郎次が問いかけた。

「老中どのと御用聞きを始末致す。残る国許改革派など有象無象よ」

草薙平四郎と呼びかけられた大兵が抜刀した。残る十人余の仲間が見習った。

「若葉登之助《わかばとのすけ》様とはどなたですか」

政次が聞く。

「おれだ」

と草薙の右を固めた小太りの侍が返事をした。

「となると左のお方が戸塚唯敦《とつかただのぶ》様ですね」

「われらを承知か、岡っ引き」

「一度龍閑橋でお目にかかっておりませぬか」

「われらが加わっておれば、あの折おまえは死んでおる」

と若葉が言い放った。

「澤潟様、先陣を務めさせて頂きます」

政次は剣を抜いた。

治保が政次にそれがしの意思で動く証《あかし》にと貸し与えた剣は、猪首《いくび》切っ先が特徴の豪壮極まる国俊《くにとし》だ。身幅が広く、重ねの厚い刃渡り二尺五寸七分（約七八センチメートル）の刃に青い月光が映った。

正眼に構えた政次は、

「無形流、拝見致します」

と誘いをかけた。

「赤坂田町の神谷丈右衛門の下で棒振りを習っているそうだな。生兵法は大怪我の基ぞ」

若葉がすいっと前進してきた。

剣は突きの構えだ。

そのかたわらに戸塚唯敦が中段に構えて詰めた。

政次も前進した。

いきなり間合いが切られ、
きえええっ！

という気合い声とともに若葉が小太りの体を弾ませて政次の喉元に突きを伸ばしてきた。

政次の国俊が突きの切っ先に磨り合わせるように動かされ、弾《はじ》いた。

きいーん！

という音が響き、物打ち辺りから若葉の剣が斬り飛ばされ、政次の国俊が若葉の肩口を襲った。

げえぇっ！

若葉が絶叫して横転し、次の瞬間には戸塚の下へと政次が飛んでいた。

中段に構えられていた剣が反転して飛び込んでくる政次の胴を狙った。だが、一瞬早く国俊が左手首を斬り飛ばしていた。

戸塚は剣を手から零《こぼ》して立ち竦《すく》んだ。

政次は止まらなかった。

その動きのままに一気に草薙平四郎に襲いかかっていた。

草薙は一瞬にして政次が並の遣い手ではないことを悟り、翻然と踏み込んでくる政次の国俊に刀を合わせた。

長身の二人が目まぐるしく刃を出し合い、防御し合って池の端を移動した。

月が雲間に隠れ、光が池の端からふわっと消えた。

だが、闇《やみ》に沈んだわけではなかった。

政次と草薙は相正眼の刃を踏み込みざまに互いの肩口に振り下ろした。

澤潟五郎次は息を飲んだ。

二人の剣が互いの肩口で影絵のように止まったかと思えた。だが、次の瞬間、草薙

平四郎の体が、
　ぐらり
と傾き、崩れ落ちていった。

月が雲を割って再び姿を見せ、池の端を照らし出した。

残った小石川組の面々は政次の剣技に圧倒されて、身動きつかなかった。戦いを見入っていた尾行組も息を飲んだか、また気配を消して沈黙を守っていた。

「勝負は決しました。お医師の下へお運び下さい。命は助かります」

　と言い放つと澤潟に、

「お待たせ致しました」

　と平静な声で詫びた。

四

御三家水戸にとって長い一日が始まった。

この日もじりじりと万物を焼き尽くすかのように陽射《ひざ》しが江戸の町を照らし付けていた。

政次は広い水戸屋敷の一角、老中職の御用部屋で事の決着がつくのを待っていた。

水戸領内の悪化した藩政と財政を改革するための献金郷士制が選択され、水戸国許派の勝利に終わるのか。あるいは金子で水戸の体面を汚すと反対する江戸定府派が改革を阻止するか。

六代藩主治保が列座しての議論が最後のときを迎えようとしていた。

屋敷のあちらこちらには大書院から伝わるぴりぴりとした空気を感じながら会議の推移と決着を見守る藩士たちがいた。

ゆるゆるとした時間が流れ、昼が過ぎ、陽は西に傾いた。

濃い影が少しずつ長く伸びて、夕暮れの刻限を迎えようとしていた。

先ほどから重苦しいほどの静寂が大書院を支配していた。

不意に叫び声が上がり、怒号も混じった。

だが、それも一瞬再び沈黙の時がきた。虚脱と期待とが入り混じった沈黙で、先ほどまでの張り詰めた沈黙とは明らかに異なっていた。

（どうやら決着したようだ）

と政次は思った。

十一年の歳月をおいて事が動き出した瞬間だった。

政次は御用部屋の片隅に置かれた道中嚢《のう》、道中羽織、大小などを身に着け、御用部屋から縁側に出ると草鞋を履いた。

水戸藩邸内に動き出していた。

政次は草鞋の紐を結ぶと縁側に置いた国俊を腰に差し込んだ。

辺りを薄暮が包もうとしていた。

政次はその薄闇に紛れるように歩み出した。

広大な水戸家江戸屋敷を二つに割って東西に神田上水が流れていた。その流れに向かって進んだ。

水音が前方から響いてきた。

神田上水は玉川上水とともに江戸八百八町を潤す命の水だった。

井ノ頭池を水源にする流れは掘削された開渠《かいきょ》を伝い、途中、善福寺川、妙正寺川の水を合わせ、さらに玉川上水の助水を受けて、中野村、高田村から早稲田村にある大《おお》洗堰《あらいのせき》で二つに分流した。

この二本のうち北へと流れる上水が江戸の飲み水に供されるのだ。府内に入るために金剛寺、牛天神を経て、水戸屋敷の後楽園の泉水を満たしつつ、さらに暗渠を流れ、御茶ノ水懸樋《かけひ》で神田川を越えて小川町に入るのだ。

政次の行く手を阻んだのはその流れだ。迷うことなく東に向かう。するとものの数丁も下ったところで神田上水は南北に流れる別の上水と直角に合流した。

水路が交わるところに木橋があった。

政次は幅六間ほどの神田上水を木橋で渡り、今度は神田上水と交差した南北の流れに沿って進んだ。

日は翳った。

だが、夏の夕暮れにも、政次は歩みを止めることはなかった。

二つの水路が交差した辺りから尾行がついていた。

政次の足が止まることはない。三、四丁進んだところで水路は水戸屋敷の練り塀にぶつかり、流れはその下へと潜った。

政次は澤潟五郎次に教えられたとおり塀に沿って西に移動した。すると流れから十間ほどのところに通用口があった。閂《かんぬき》は下りていたが政次はそれを外し、水戸屋敷の外へと出た。

行く手に鬱蒼とした森が広がっていた。

政次は再び流れに戻り、岸辺を下流へと向かった。

早くも蛍が淡い光を放って飛び始めていた。

寛政元年の夏、政次と亮吉と彦四郎が水浴びをした池の辺に出た。

政次は、
ふうっ
と息を一つ吐いた。

政次が足を止めたせいで尾行の組も動きを止めた。

「富田弥生《やよい》様、おられますか」

政次が動きを止めた尾行組に声をかけた。すると森の一角で驚きが走り、ざわざわと潜み声で会話が交わされ、それが静まると数人の影が姿を見せた。

若衆姿の富田弥生を中心に六、七人の若侍たちがいた。

「弥生様、昨日も尾行なされましたな、御用はなんですか」

「町人のそなたがなぜ侍姿で水戸屋敷に潜り込んでおる」

と弥生に代わり、その傍らに寄り添う若侍が聞いた。

「そなた様はどなたですか」

反問された若侍は黙り込んだ。

「政次どの、新番組井筒《いづつ》家の嫡男精太郎《せいたろう》様です」

「弥生様をお嫁に迎えられるお相手ですね」

弥生が返答につまり、それでも小さな声で、

「そうです」

と恥ずかしそうに答えた。

「私が水戸屋敷に入って以来、そなた方は私の動静に注目されていた。なぜです」

「町人が水戸藩士に化けて屋敷に詰めるなど怪しい」

と井筒精太郎が応じた。

「治保様のお許しを受けてのことと答えたらどうなされますな」

「そんな馬鹿なことがあろうか」

「おかしいぞ」

と若侍たちが口々に言った。

「それがしの腰の一剣、国俊は治保様から借り受けたものです」

なんと、という驚きの声が若侍の間から起こった。

「井筒様、そなた方はしばしばこの池のほとりで集まりを持たれるようですね」

「答える要はない」

「ございます、井筒様。先の集まりの折、そなた方は小石川組に不意を突かれ、襲われそうになった。その折、奇声を発して逃げる間を作ったのはこの私ですからね」

「なんとあの折、流れから叫び声を上げたのはそなたか」

「はい」

若侍たちが沈黙した。

「危ういところを助けたと恩着せがましく申し上げるのもなんですが、私どもは正直に話し合うべきではございませんか」

若侍たちが顔を見合わせ、小声で話し合った。

「精太郎様、もはや直に政次どのに尋ねるときです」

弥生の声がその場を制し、弥生と若侍たちが政次を見た。

「私が富田新吾様の亡骸を隠し埋めたのではないかとお尋ねですか」

「政次どの、そうは申しません。ですが、兄が埋葬された場所を承知しておられるのではありませんか」

「弥生様、過日、金座裏を訪ねてこられた折、弥生様には確かに富田新吾様を見かけた。だが、お目にかかったわけでも話したわけでもないと、そのようなことを申し上げましたな」

「はい」

「富田新吾様を見かけたのは確かにこの場所です。あの夏の昼下がり、十歳の私と仲間二人はこの池に潜り込んで水遊びをしていたのです。そこへ富田新吾様ともう一人お武家様が姿を見せられた。私たちは慌てて、ほれ、あそこの茂みに姿を隠したんです」

と政次が藪蔭《やぶかげ》を指した。

「その連れが兄を殺したのですか」

「いえ、違います。お二人は治保様の書状を持参し、もうお一人の上司の到来を待ち、三人で水戸へ極秘の遣いに出られるところでした」

「兄の連れとは何者か、上司とはだれですか。藩騒動の最中、兄が殺されたと申されるならば、せめて殺した下手人の身許をはっきりさせたい。さらに亡骸を見つけ、弔いを終えて富田の家を出たいのです。政次どの、承知なれば教えて下さい」

悲痛な叫びだった。

「弥生様、新吾様の同行者が参られました。直にお聞きなさい」

と政次が視線を送った先に澤潟五郎次が立っていた。

「老中」

「澤潟様」

と若侍たちがざわめいた。

「十一年前、富田新吾とそれがし、三村五郎次はただ今と同じように領内改革を指示された殿の書状を持参して水戸に入るべく、極秘の使命を負っていた、弥生どの」

「澤潟様、兄に同道なされた方はそなた様でしたか」

「ただ今まで黙っていて申し訳ないことであった、この通り詫びる」

と五郎次が弥生に頭を下げ、言った。

「いかにも新吾と私が殿の内命を受けて、この場で一人の上司を待ち受けていた」

「どなたです」

弥生が五郎次を詰問した。

「井筒精太郎様、話の途中でございますが、ちと尋ねたいことがございます」

と政次が口出しした。

「なんだな」

「そなた様にこの私が富田新吾様の逐電の真相を承知していると告げた人物は、どなたでございますな」

「そ、それは」

「申せませぬか。たれぞに唆《そその》かされなくては、そなた様方や弥生様が承知のはずもない。お答えできなければ私の口から申し上げます」

「そんなことができるものか」

「水戸藩江戸屋敷で小石川探題と呼ばれ、藩中に徒党を組み、ときに暗殺さえも厭《いと》わない集団を率いる筆頭目付の半澤立沖様ではございませんか」

「なぜそれを」

「承知かと申されるので。十一年前の夏の夕暮れ、三村五郎次様と富田新吾様が待ち受けておられた人物こそ半澤立沖様です」

「そんなことがあろうか」

「なんと聞かされたか存じませんが、半澤様に間違いない。半澤様は富田新吾様に治保様の書状をしかと持参しておるなと確かめ、いきなり富田様に斬りかかられたのでございますよ。不意打ちの一太刀を受けて富田様は絶命なされました」

「ああっ」

弥生が悲鳴を上げた。

「私と新吾どのとは大事な遣いを前に剣を置き、池の端で昼寝を貪《むさぼ》っていた。同道する半澤様が国許改革派から江戸定府派に寝返ったことなど夢想もしていなかった。新吾が斬られて、慌てて剣に飛びついたが半澤様がすでにそれがしに迫っておられた」

弥生は両目を見開いて恐怖の表情で五郎次の告白を聞いた。

「それがしも新吾と同じ運命を辿《たど》る筈《はず》であった。だが、ここにおられる政次どのと二人の友が藪蔭から叫びたて、難を逃れたのだ」

「なんということが」

弥生は寛政元年の夏に起こった富田新吾逐電の真相を初めて知らされ、言葉を失っていた。

「政次どのは新吾の死に動揺するそれがしを叱咤《しった》して水戸へ殿の密書を届ける使命を思い出させた。それがしは命を助けてくれた礼もそこそこにこの場から立ち去った」

「残ったのは政次どのと二人のお仲間ですか」

弥生が視線を政次に向けた。

「彦四郎、亮吉」

政次が呼ぶと十一年前の殺しの目撃者が姿を見せた。

「弥生様、神仏に誓って若親分と澤潟様が話したことは真ですぜ」

と亮吉が言い、懐から小田原提灯を出すと彦四郎が用意していた火縄で明かりを点《とも》した。

寛政元年の夏の惨劇の場がゆっくりと浮かび上がってきた。

「弥生様、私どもはそのときになって親に無断で水遊びにきたことを思い出したんです。三村五郎次様の発たれた後を追うようにこの場から逃げ出した。そして、彦四郎、亮吉と話し合い、その夏の夕暮れに見たことを封印したんでございますよ。子供心に口にすると危い目に遭うと考えたんです」

しばしの沈黙の後、弥生が問い質《ただ》した。

「三人して兄の亡骸がどうなったか知らぬと申されるか」

「存じません」

と答えた政次が闇に向かって、

「半澤様、お姿をお見せになりませぬか」

と最後の登場人物に声をかけた。

ゆらり
と闇が動いて亮吉が持つ提灯の明かりの中に半澤立沖が姿を見せた。

「半澤様、これで十一年前の役者が顔を揃えましたな」

と政次が声をかけた。

「許せぬ」

という言葉が半澤の口から洩れた。

「半澤様、この場で話されたことはすべて真実ですか」

「小わっぱども、黙りおろう！」

と半澤が物凄《ものすご》い形相で叫んだ。

「おのれ、半澤」

と弥生が腰の剣の柄に手をかけた。

「弥生様、この場は私どもにお任せ下さい。十一年前の決着は新吾様の同輩の澤潟五郎次様に任せられるのが筋にございます」

と政次の毅然《きぜん》とした声が池の端に響いた。

「金座裏と異名の岡っ引きを甘くみたのがわれらの蹉躓《さち》の始まり、政次、澤潟五郎次、許せぬ」

と同じ言葉を吐いた。

「政次どの、それがしが斃された場合、そなたが仇を討ってくれ」

「澤潟様、万事飲み込んでございます。だがねえ、小石川探題だ、筆頭月付だとおどろおどろしく呼ばれる人物ほど実体はないものでございますよ。澤潟様、富田新吾様の仇を討たれるのはそなた様しかおられませぬ」

「いかにもさようであった」

澤潟が背に負った道中嚢を解き、羽織を脱いだ。それを政次が受け取った。

そのとき、思わぬことが起こった。

弥生が剣を抜くと、

「兄の敵《かたき》！」

と叫び、半澤立沖に斬りかかったのだ。

ふいを打たれた半澤が飛び下がり、

「おのれ、女の分際で」

と田宮流抜刀術で剣を抜き、斬り伏せようとした。

そのとき、政次は咄嗟《とつさ》に行動していた。

弥生と半澤の間に身を飛び込ませると手にしていた羽織を半澤の前に広げて投げた。

一瞬、視界を塞《ふさ》がれた半澤だったがそれでも踏み込みざまに弥生に抜き打ちを送り込んだ。

あっ

羽織を切り裂いた刃が弥生の腕を掠《かす》り、政次が半澤に体当たりして二撃目を遅らせた。

その直後、澤潟五郎次がするすると半澤の前に出た。

体当たりを食らった半澤も、すでに体勢を整え直していた。

澤潟五郎次と半澤立沖は一間半の間合いで見合った。

肘《ひじ》を切られた弥生を彦四郎と井筒精太郎が戦いの場から引き出して、傷口を調べた。

政次が投げた羽織のせいで踏み込みが足りず、浅い傷に終わっていた。

「これならば血止めすれば大丈夫だ」

と彦四郎が手拭《てぬぐい》を引き裂いた。

「半澤立沖、十一年前、富田新吾を斬殺した仇を討つ。だが、その前に聞いておく。そなたも水戸藩士なれば潔く答えよ。富田新吾の亡骸をどこへ隠した」

半澤が、
ふうっ
と息を吸い、吐いた。

「小梅村下屋敷に運ばせた」

「なんと下屋敷に」

「瓢箪《ひょうたん》泉水の東に庚申塚《こうしんづか》があるのを承知か、その社《やしろ》の背後に埋めさせた」

と答えた半澤に弥生が、

「兄上！」

と叫び、泣き出した。

「十一年前、おれは改革派の企てを阻止した。此度もそなたらを斬り、庚申塚に埋葬致す」

と宣言すると剣を八双に立てた。

澤潟五郎次は正眼の構えだ。

腕は半澤立沖が上と、政次は見た。

だが、五郎次には、

「治保の命を遂行する」

という大義があった。その上、友の富田新吾の仇を討つという使命感に燃えていた。

そのことが戦いの勝敗の行方を五分と五分にしていた。

「澤潟様、半澤様は田宮流抜刀術の達人だそうだが、弥生様のお蔭で剣を抜かれた、もはや得意の一手は使えませんや」

と長閑《のどか》に言い放った。

その声が二人の耳に届いたとき、戦いは始まった。

八双の剣を振り下ろして半澤が走り、遅れじと澤潟が果敢に踏み込んで、斬り下しを弾いた。

一撃目を避けたことで澤潟に気持ちのゆとりが生じた。

連鎖して打ち込まれる攻撃を粘り強く弾いた、避けた。

攻撃と防御の鬩《せめ》ぎあいが長々と続いた。

焦《じ》れた半澤が間合いを取ろうとした。

その瞬間、澤潟が踏み込んだ。踏み込みざまに防御に徹していた剣を下がろうとする半澤の首筋に叩き込んだ。

うっ
と呻き声を洩らした半澤の動きが停止した。凍《い》て付いたように固まった半澤の首筋から血飛沫《ちしぶき》が、
ぱあっ
と舞い上がり、ゆらゆらと体を揺らした後、崩れ落ちるように横倒しに斃れ込んだ。

「澤潟様、お見事にございます」

荒く弾む息を整えた澤潟が、

「政次若親分、十一年の借りを返した。そなたのお蔭だ」

と礼を述べた。

四半刻後、彦四郎の漕ぐ猪牙舟が神田川から大川へと出た。

乗り組む客は澤潟五郎次と侍姿から金座裏の若親分に戻った政次、亮吉の三人だ。

彦四郎の櫓捌《ろさば》きはゆったりしているようで大きく、船足が速かった。

「もはや江戸定府派の邪魔もございますまい。となれば私の水戸行きもなしだ」

「これですべて終わったんですね」

政次の言葉に亮吉が応じた。

「いや、亮吉どの、水戸は改革の端緒に着いたばかり、十一年の遅れにござる」

五郎次が重い口調で答えたものだ。

水戸街道への江戸の出口、千住大橋には水戸国許派の面々が澤潟五郎次の身を守り、治保の書状を無事に届けるために待機していた。

「澤潟様、お元気で」

舟を下りた澤潟に政次が声をかけた。

「そなた方との付き合いも始まったばかり、今後ともよしなに頼む」

「こちらこそお願い申します」

澤潟らは夜を徹して水戸へ急ぐという。

「さらばじゃ」

「また江戸で会いましょうぜ」

「亮吉どの、必ずな」

その言葉を残して澤潟一行が千住掃部宿《せんじゅかもん》へと姿を消した。

「帰るか」

「帰ろうか」

猪牙舟は流れに乗り、ゆっくりと隅田川へと下っていった。

「政次、心に刺さった棘は抜けたのかねえ」

彦四郎が聞く。

「富田新吾様の死を始め、多くの血が流されたのだ。棘は抜いてもしこりは残るさ」

「寛政元年の夏は戻ってこねえものな」

「澤潟様方の藩政改革の業がなったときにすべては終わる」

「長い歳月がかかるぜ、若親分」

亮吉の言葉に政次が頷き、猪牙舟はゆっくりと流れを下っていった。

本書は、ハルキ文庫（時代小説文庫）の書き下ろしです。

時代小説文庫

さ 8-15

埋《うず》みの棘《とげ》 鎌倉《かまくら》河岸《がし》捕物控《とりものひかえ》

著者　佐《さ》伯《えき》泰《やす》英《ひで》

2006年9月18日第一刷発行

発行者　大杉明彦

発行所　株式会社 角川春樹事務所
〒101-0051 東京都千代田区神田神保町3-27 二葉第1ビル

電話　03(3263)5247[編集]　03(3263)5881[営業]

印刷・製本　中央精版印刷株式会社

フォーマット・デザイン&シンボルマーク　芦澤泰偉

ISBN4-7584-3253-8 C0193

http://www.kadokawaharuki.co.jp/[営業]

fanmail@kadokawaharuki.co.jp[編集]　ご意見・ご感想をお寄せください。